CHARLIE

CHARLIE

RAFAEL PEÑAS CRUZ

BARCELONA — MADRID

V Premio Terenci Moix
de Narrativa Gay y Lésbica de la Fundación Arena

© Rafael Peñas Cruz, 2009

© Editorial EGALES, S.L. 2010
Cervantes, 2. 08002 Barcelona. Tel.: 93 412 52 61
Hortaleza, 64. 28004 Madrid. Tel.: 91 522 55 99
www.editorialegales.com

ISBN: 978-84-92813-22-3
Depósito legal: M-23412-2010

© Fotografía de portada: Rafael Peñas Cruz

Diseño y maquetación: Cristihan González

Diseño gráfico de cubierta: Nieves Guerra

Imprime: Top Printer Plus. Pol. Industrial Las Nieves
C./ Puerto Guadarrama, 48. 28935 Móstoles (Madrid)

Agradecimientos

A Pilar Pons Lalaguna, Lourdes Hernández Martín y Elisabet Andreu Bassols por sus sabios consejos y sugerencias durante el proceso de escritura.

A Helena Medina Abenoza por su incondicional apoyo y a Teresa Nusas Lagresa por los veranos en su casa de Port de la Selva, que tan útiles me fueron para ambientar esta novela.

A Charlie Allwood, un antiguo alumno cuya salida del armario en una de mis clases hace ya muchos años sirvió de espoleta para el proceso creativo aunque lo que aquí se cuenta es una pura ficción que no tiene nada que ver con personas o hechos reales.

Para John, sin él nada sería posible.

Capítulo 1

Cambios

El colegio y los exámenes hacía poco que habían terminado, el calor había empezado a apretar y los vencejos sobrevolaban la ciudad. Charlie estaba lleno de expectación por el futuro que le esperaba aquel año de su mayoría de edad y por la nueva vida que se abriría ante él más allá del verano, cuando, ya en el otoño, empezara a estudiar en la universidad.

Pero eso no sería hasta octubre y aún tenía por delante tres largos meses de vacaciones. Para agosto, había comprado uno de esos billetes que permiten a los estudiantes viajar por toda la red ferroviaria europea por muy poco dinero y aguardaba con impaciencia el momento de partir. Había trabajado mucho todo el año y creía que ahora se merecía un poco de diversión.

Aquella mañana acababa de regresar de una noche de juerga en la que le había ocurrido algo extraordinario y se sentía a la vez exultante y confundido. Cuando su madre empezó a hablarle de los planes para el verano, Charlie apenas la escuchaba.

—Me han ofrecido intercambiar el piso con unos alemanes en julio y agosto.

La cabeza todavía le daba vueltas. Al encontrarle en la cocina, su madre supuso que se acababa de levantar. En realidad aún no se había acostado y no tenía la mente para conversaciones trascendentales, pero la había notado tan decidida que no se atrevió a interrumpirla. Siguió en silencio untando una tostada con mantequilla.

Su madre, tomando su silencio por desaprobación, le habló con la voz seria que ponía cada vez que le consultaba algún asunto profesional que pudiera afectarle de alguna manera. No es fácil para una madre soltera compaginar la carrera profesional con las obligaciones maternas, y Maribel había sufrido siempre tremendos ataques de culpabilidad por no haber podido dedicar a su hijo todo el tiempo que ella hubiera deseado. Sin embargo, esos temores se habían demostrado innecesarios. Charlie era el chico maduro y responsable que cualquier madre desea. Había terminado el bachillerato con excelentes calificaciones y no había tenido ningún problema para aprobar el examen de ingreso a la universidad. A sus dieciocho años, era un chico cabal. Se había convertido también en un joven muy atractivo. Tenía el pelo cobrizo como su padre, que había muerto en un accidente de tráfico poco antes de nacer él, dejando a Maribel sola, embarazada y ahogada en deudas.

Había tenido que luchar mucho para salir adelante. Hacía ya algún tiempo que trabajaba como profesora en la universidad con un contrato temporal y andaba siempre detrás de conseguir una plaza fija que le permitiera cierta estabilidad y desahogo económico.

Ese verano le habían ofrecido una beca para hacer un curso en una universidad extranjera y, aunque sentía aprensión por Charlie, era una oportunidad que no podía rechazar pues se lo habían planteado como un paso decisivo para obtener la codiciada plaza fija. El problema era que el dinero de la beca no le alcanzaba para afrontar todos los gastos domésticos y aquel intercambio le iba a suponer una gran ayuda.

Maribel sabía que podía contar con Charlie, pero le preocupó la apatía que tenía aquella mañana. Si hubiera estado un poco menos absorta en sus propias tribulaciones, habría notado que la agitación de Charlie poco tenía que ver con los planes para el verano, pero Maribel no percibió nada especial aparte de la resaca de fin de semana, a la que ya se había acostumbrado.

—Es la única manera que encuentro de poder sobrevivir sin trabajar los dos meses, continuó justificándose, y como tú te vas a viajar por esos mundos en agosto...

Charlie abrió los ojos inquisitivamente.

—¿Y qué hago yo en julio?

—He pensado que lo pases con la tía Irene. Ya hablé con ella y estará encantada.

Vivían en un ático de la calle Pelayo en el centro de Barcelona. Dos grandes puertas del salón-cocina se abrían a una pequeña terraza desde donde se veía el reloj giratorio de la plaza Cataluña. Eran sólo las nueve de la mañana, pero el calor era ya sofocante. Charlie estaba al borde de sus fuerzas. Se sentía muy cansado y con ganas de estar a solas. Comparado con la tremenda revelación que había tenido aquella noche, las explicaciones de su madre le resultaban banales.

En el estado de agitación emocional en el que se encontraba, encerrarse un mes entero con la tía Irene no era un plan apetecible, pero ¿qué podía hacer? Desde los dieciséis años había trabajado durante los veranos para no ser una carga para su madre, y era muy consciente de que disponer de ese verano libre para viajar a sus anchas era un privilegio que ella le otorgaba como premio a sus éxitos académicos.

En otras circunstancias, Charlie, que era de buen conformar, no hubiera tenido nada que objetar a la idea de pasar un mes en la costa, pero el acontecimiento de la noche anterior le había trastocado todos los planes. Hubiese preferido quedarse solo en Barcelona.

—Está bien, mamá. No importa, aunque seguro que voy a aburrirme mortalmente.

De pronto, la paz de la mañana fue brutalmente interrumpida por el estrépito de un martillo hidráulico. En la calle Pelayo habían empezado unas obras municipales y Charlie pensó que tal vez no iba a ser tan mala idea escapar de aquel ruido infernal.

—Estoy segura de que haréis muy buenas migas. Además, siempre se ha portado muy bien con nosotros.

—¡Vaya, así que me mandas en una misión mercenaria! —bromeó Charlie.

—¡Ay, ya está, Charlie! No me seas simple, por favor.

Se disculpó, divertido. ¡Qué fácil era tomarle el pelo a su madre!

—Bueno. No te preocupes. Ya me las arreglaré. Ahora perdóname pero he tenido una noche bastante intensa y estoy cansado. Voy a ver si puedo dormir con este ruido. ¿Ya les dijiste a los alemanes lo que van a tener que sufrir todo el verano?

—No me atreví. Me da miedo que se echen atrás. ¡Me viene tan bien este arreglo...!

Charlie se levantó de la mesa y fue a darle un beso a su madre.

—Tú hazte la loca y deja que les coja por sorpresa —dijo, ya yendo hacia su cuarto.

Maribel notó el olor a alcohol y tabaco en el aliento de Charlie.

—¿Qué hiciste anoche? —le preguntó—. Parece que te corriste una buena fiesta.

Charlie ya había salido al pasillo, desde donde le gritó:

—Sí, fue una noche divertida. Luego te cuento.

En su habitación, mientras iba desprendiéndose de las ropas que olían a tabaco y a colonia de hombre, se preguntó si realmente se atrevería a decirle a su madre que aquella noche había perdido su virginidad. ¡Con un hombre!

A pesar de ese cansancio, cuando se echó en la cama, el calor, la excitación y los ruidos de la mañana que subían por el patio de luces le impidieron dormir. Le extrañó hallarse en medio de la familiaridad de su cama, en la que de niño se había sentido tan protegido y donde tantas veces había deseado lo que había ocurrido aquella noche.

Ahora ya estaba hecho. Ya no había vuelta atrás. Le excitaba haber dado aquel paso, experimentando por fin la fuerza misteriosa que hasta entonces había conocido sólo a través de lecturas y películas.

Pensó en el argentino de ojos claros y labios carnosos. Era un poco mayor pero tenía un cuerpo atlético y firme. A pesar de las drogas y el alcohol consumidos, Charlie se había corrido con el ímpetu del neófito. Ernesto, que así se llamaba el amante porteño, se había quedado alucinado con la furia de su portentosa eyaculación y, cuando Charlie le confesó que era su primera vez, se rió y dijo que de haberlo sabido él habría igualado su marca. Luego se habían quedado dormidos en un sensual abrazo.

Al despertar con los primeros cantos de los pájaros, se sintió confuso y con una imprecisa sensación de tristeza. Se vistió con sigilo, salió del apartamento sin despertar a Ernesto y, una vez en la calle, se lanzó a una loca carrera que no detuvo hasta encontrar una fuente pública, donde se enjuagó la boca en una suerte de ritual de expurgación.

Recordó una frase que le había dicho a Sabir aquella noche: «Yo no soy maricón, pero sé cuándo un hombre es atractivo».

Le daba bochorno haber sido tan imbécil. Hacía tiempo ya que él había descubierto sus «inclinaciones» y, si se había mantenido al margen de las bromas de gimnasio del instituto, no había sido por vergüenza o falta de interés, sino por miedo a traicionar un deseo que no se había atrevido a confesar.

Cada noche, al volver a ese mismo cuarto en el que ahora estaba sumido en un duermevela de imágenes inconexas, Charlie se había masturbado pensando en el cuerpo de Albert, decadente como el de un poeta romántico, como la fotografía de Rimbaud que Charlie tenía encima de su escritorio.

Había mentido por miedo a perder la camaradería viril con Sabir y Albert si se situaba en el bando de marginados como el Francesc y el Oriol, los dos mariquitas oficiales del instituto, cuya amanerada homosexualidad le había parecido grosera.

Le irritaba no haber tenido la valentía de admitir abiertamente su deseo, dejándose arrastrar por la «presión del grupo paritario», como el director del colegio llamaba a la tiranía ejercida sobre los jóvenes por la moral colectiva. Había sido un cobarde, él que tanto presumía de ser, como su admirado Rimbaud, un espíritu original y libre.

«Soy un mariquita —se dijo—. Un maricón, un sarasa.»

Le vinieron a la cabeza los patéticos escarceos amorosos con chicas. Experiencias falsas y movimientos mecánicos que, ahora que tenía por fin algo tangible con lo que compararlas, le resultaban ridículas. Se alegraba de haber hecho ese descubrimiento una vez terminado el instituto, a salvo ya de insidias y crueldades.

—¡Charlie es un mariconazo! —imaginó que decían a sus espaldas.

—Se lo tenía muy callado pero estaba clarísimo.

—Yo siempre lo sospeché.

—Por eso se hacía el estrecho.

—Por eso nunca hablaba de sexo ni de tetas.

—¡Un mariconazo! ¡Charlie es un mariconazo...!

No sabía qué le deprimía más, si esa homofobia atávica o su propia cobardía.

No había esperado estos cambios al encontrarse con Albert y Sabir la otra tarde. Entonces se había sentido en comunión perfecta con el mundo. Recién duchado, calzando las flamantes zapatillas deportivas, vestido con los vaqueros y la camisa estampada que su madre le había traído de California. Todo presagiaba una noche como cualquier otra. Se encontraron como siempre delante del Café Zurich de la plaza Cataluña y, tras curiosear por el FNAC, habían ido a comer a una hamburguesería, un lugar que despreciaban pero que tenía la virtud de alimentarles por muy poco dinero.

Allí, rodeados de colegialas que descansaban tras pasar la tarde fatigando con sus risas las tiendas de la calle Pelayo, los tres amigos habían planeado la noche. Empezaron haciendo una incursión por los bares de los alrededores de la Plaza Real, llenos de turistas mochileros, manguis buscándose la vida, artistas callejeros y demás fauna habitual. Se sentaron en una cervecería y se sintieron muy adultos mirando el mundo pasar mientras bebían sus jarras de cerveza. Albert, que siempre tenía más dinero que los otros dos, había pagado las consumiciones con aire de hombre de mundo acostumbrado a invitar a sus amigos. Sabir encendió un porro que traía ya liado de casa y lo fumaron con disimulo. El sopor del hachís les tuvo en silencio un buen rato, bebiendo la cerveza a sorbos lentos y haciendo comentarios deslavazados sobre el espectáculo que les ofrecía la plaza.

Junto a un charco de orines, unos rubios nórdicos se pasaban unas litronas de cerveza.

—Así vas a estar tú este verano, rodando por Europa como un colgado —le dijo Albert con sorna.

—Ya veremos, a lo mejor me encuentro con una millonaria cuarentona que me lleva a su palacio veneciano y me seduce con champán y ostras en un lecho de damasco.

—O con un pederasta francés que te emborracha de vino peleón en una taberna de Marsella y te jode luego en el cuartucho lleno de pulgas de una pensión barata.

Albert era uno de esos adolescentes que siempre hablan de sexo y continuamente hacía bromas sobre los maricas. Aunque no eran bromas de mal gusto o especialmente ofensivas, a Charlie siempre le habían hecho sentir incómodo.

«Yo no soy maricón pero...» Aquella frase volvió a martirizarle.

Fumaron varios porros más en bares baratos antes de terminar en un local más sofisticado adonde el portero les dejaba pasar gratis porque se había criado con Sabir en las malas calles del Raval.

El local estaba lleno de gente y les costó abrirse paso hacia la pista, donde había un grupo de extranjeras bailando. Albert se había acercado a ellas con fingido desinterés. Bailaba de una forma amanerada que habría asustado a cualquiera que no poseyera su recalcitrante heterosexualidad. Se miraba en los espejos de alrededor de la pista, sabiendo perfectamente que su indiferencia terminaría intrigando a las jóvenes. Charlie le observó exhibirse por la pista como un pavo real, envidiando la seguridad en sí mismo de su amigo.

Para cuando Charlie terminó su botella de cerveza mexicana, Albert ya había roto el hielo y estaba hablando con las chicas.

Sabir apareció con tres Coronitas más.

—Me ha invitado mi colega Meher, el de la puerta.

Buscó a Albert y, al verle rodeado de aquellas bellezas, exclamó:

—¡Coño, tío! Tú y yo debemos de ser gilipollas. No sé cómo se lo monta ése pero siempre se liga a las tías más buenas.

—Tiene buena planta, tío —dijo Charlie.

Y había añadido aquello que ahora tanto le mortificaba:

—Albert suda sexo, el cabrón. Yo no soy maricón pero sé cuándo un hombre es atractivo.

Sabir dio un trago de cerveza y calló. Charlie se preguntaba si Sabir no se habría dado cuenta de la hipocresía de sus profesiones de fe heterosexual. Sabir o Albert nunca pronunciaban la dichosa frasecilla.

—Esas deben de ser las modelos que me ha dicho mi colega que estaban por aquí. Vamos a llevarle su cerveza y a ver si nos caen algunas migajas.

Poco a poco se unieron también ellos al grupo. Alguien les consiguió unas pastillas y, a medida que fueron haciéndoles efecto, se contoneaban con mayor fuerza, bailando en movimientos rítmicos como los de una danza tribal. Charlie, el único que hablaba inglés con cierta soltura, estuvo charlando con una de las chicas, quien le confirmó que eran modelos que habían venido a rodar un anuncio en Barcelona.

Le dijo muchas más cosas que Charlie no entendió bien, y el tiempo pasó volando hasta que llegó la hora de cerrar el bar. Tras un momento de confusión, se encontraron en la puerta del local, colocados y con ganas de seguir la juerga.

Se habló de ir a una discoteca en la parte alta de la ciudad y salieron a las Ramblas, donde se distribuyeron en varios taxis.

Cuando subían por la famosa calle barcelonesa, Charlie se había sentido eufórico. Miraba por la ventanilla el desfile colorista de la ciudad desplegar su encanto veraniego, a la vez que escuchaba las conversaciones entrecortadas y las risas de las chicas. Estimulado por la subida de las pastillas, le pareció estar viviendo la noche más excitante de su vida y encontrarse en la mejor ciudad del mundo.

No sabía entonces hasta qué punto aquella noche iba a resultarle inolvidable.

—¿Adónde vamos? —le preguntó a la chica con la que había hablado en el bar.

—*It's a gay club* —dijo ella encogiéndose de hombros, y a Charlie le pareció algo muy interesante.

Cuando llegaron al club no tuvieron ningún problema en entrar debido al magnetismo hedonista que desprendía aquel grupo de *jeunesse divine*. El local estaba tan lleno que se disgregaron. Charlie se acomodó en una esquina de la barra hablando sobre su próximo viaje por Europa con su nueva amiga inglesa, que le invitó a ir a Londres y quedarse en su casa.

Apareció entonces Sabir:

—Tío, esto es un bar de maricones. En el lavabo me he cortado: ¡había un tío mirándome la picha en el meadero de al lado y no he podido hacer nada!

Desapareció de nuevo agarrado a su bebida, animándole con un guiño a seguir con su ligue.

Tras un rato de charla, Charlie y la chica salieron a bailar. En medio de aquella pista repleta de hombres sin camisa y sudorosos, Albert se movía coqueto y seductor, sin soltarse de su bella inglesita, la más espectacular de aquel ramillete de modelos.

La amiga de Charlie desapareció acompañada de una de sus compañeras, y él aprovechó para explorar el local. Era la primera vez que estaba en un club gay y le fascinó la naturalidad con la que los chicos se besaban y se abrazaban. En la segunda planta había un *chill-out* decorado con ambiente marroquí, donde un grupo de hombres parecía estar representando una escena de las *Mil y una noches*. Parecía que alguien hubiese rociado el lugar con una poción mágica y todos se hubiesen visto poseídos por una pasión desenfrenada. La atmósfera estaba cargada de una sexualidad infecciosa que despertó en Charlie el deseo de unirse a la fiebre voluptuosa que consumía a los demás, soltando amarras y liberando inhibiciones. Bajó de nuevo a la planta principal para reunirse con sus amigos, pero no pudo encontrar ni a Sabir ni a Albert. Había llegado mucha más gente y era imposible moverse entre aquel gentío.

En los servicios de caballeros se topó con un ambiente aún más fuerte. En el reducido espacio de los urinarios, hombres de cuerpos deseables se besaban y acariciaban. Alguien le tomó por los hombros y le arrastró hasta uno de los retretes, donde le aprisionó contra la pared. Charlie se dejó llevar por el placer de la lengua del desconocido recorriendo su cuerpo.

Había perdido la noción del tiempo y del espacio en aquellos servicios. No recordaba cómo había terminado en un piso de la plaza Lesseps, sólo la sensualidad de sentir suyo el cuerpo de Ernesto.

Al revivir en la soledad de su cuarto aquella excitación, sintió de nuevo una erección, que aplacó de la forma habitual. Las drogas, el alcohol y el sexo hicieron que tardara bastante tiempo en correrse. Cuando por fin lo hizo, sólo eyaculó unas patéticas gotas de semen. Sin embargo, nunca se había hecho una paja tan a gusto, porque era la primera que se hacía con algo más que imaginaciones.

«Yo sí soy maricón», se dijo sonriendo, y se durmió poco después sintiéndose en armonía con el mundo.

Capítulo 2

Deseos y realidades

Estuvieron una semana entera dejando la casa lista para la llegada de los alemanes. Charlie quedó tan exhausto por el continuo trajín de empaquetar, limpiar y almacenar que, al llegar el primero de julio, el día de su partida a casa de la tía Irene, había sentido un gran alivio.

Amaneció gris y bochornoso, amenazando una tormenta que estalló cuando caminaba hacia la estación. La luz espectral de un relámpago iluminó la calle súbitamente, al poco se oyó el estruendo espeluznante de un trueno y empezaron a caer gruesas gotas de lluvia que en cuestión de segundos se convirtieron en cortinas de agua y luego en violento granizo.

Se refugió en un portal, desde donde contempló hechizado la furia de la tormenta. Las hojas de los árboles caían bajo el peso del granizo. Un nuevo relámpago fue seguido por su correspondiente trueno. Los semáforos dejaron de funcionar. El tráfico avanzaba lentamente. En un coche detenido en el atasco, una señora se santiguó.

Charlie evocó tormentas similares en veranos de su infancia, cuando, asustado por los truenos, se escondía debajo de la cama, escuchando el taconeo reconfortante de Maribel cerrando puertas y ventanas.

Desde su noche con Ernesto, su estado de ánimo había oscilado entre un romántico deseo de liberación y una feroz melancolía. Había releído «El barco ebrio» de Rimbaud, y se había identificado más que nunca con la imagen del barco que se libera de todos los amarres y se lanza al océano entregándose a los vientos, pero ese deseo de libertad convivía con una indefinida nostalgia por la inocencia perdida. Cuando le atacaba esa tristeza, leía las *Canciones de inocencia* de William Blake, y se entregaba a una orgía de patetismo que terminaba en un infantil sentimiento autocompasivo.

Se sentía atrapado en un presente insufrible, tan incapaz de recuperar lo perdido como de alcanzar las promesas futuras. Sin poseer ya la protección ni la irresponsabilidad de la niñez pero sin haber alcanzado todavía la experiencia de los adultos.

Era como si el tiempo se hubiera detenido en aquel portal. El futuro se abría ante él como una incógnita mientras el pasado se esfumaba en una nube de recuerdos inconexos. Todo lo que tenía era ese momento presente en el que no podía avanzar ni retroceder. Estático en medio de la lluvia. Un relámpago iluminó la calle nuevamente con una luz fantasmagórica. Cerró los ojos y escuchó el agua caer violentamente durante los segundos que tardó en retumbar el trueno.

Al abrirlos de nuevo, tuvo una extraordinaria visión. Las cosas se le presentaron de una forma nueva e inusitada. Pensó simultáneamente en todos los conocimientos que había adquirido en el instituto: las guerras, las revoluciones, la geografía de los países remotos, el movimiento de las estrellas en el espacio infinito y la reproducción de la ameba. Se sintió parte del cosmos y del fluir de la historia pero, a la vez, ajeno a todo ello. Quería escaparse de sí mismo para fundirse con el vasto cuerpo de la creación igual que había deseado en aquella primera noche fundirse con el cuerpo de Ernesto.

Pensó en los poemas y las novelas de autores desaparecidos que hasta entonces, a falta de experiencias propias, le habían servido como sucedáneo de la vida. Sin comprenderlos completamente, se había visto reflejado en ellos. Algo había en esos poemas y en esas historias que expresaba un deseo suyo escondido que luchaba, como la sexualidad y la vida, por salir afuera y afirmarse frente al mundo.

Sintió la urgencia de verter en sus propios versos el torrente de emociones que se le agolpaban en la cabeza y, a la vez, una gran frustración por no tener la capacidad para dar forma a tales sensaciones. ¡Había tanto que aprender...! Se deprimió al pensar que, a su edad, su admirado Rimbaud ya había escrito todo lo que tenía que escribir. Deseó poseer también él ese mágico don creativo y alcanzar instantáneamente ese conocimiento instintivo y genial. Miró el agua que se arremolinaba en el borde de la calzada arrastrando papeles y colillas hacia la cloaca, y fue como si arrastrara con ella los últimos restos de su adolescencia.

Cuando el aguacero remitió, corrió bajo la lluvia buscando la protección de los aleros de los balcones hasta llegar a la estación de Paseo de Gracia. Vio en el panel indicador que había perdido el tren, pero no le importó. No tenía ninguna prisa. Compró tabaco y un periódico, fue a la cantina y pidió un café con leche. Llamó a la tía Irene para informarle del retraso. Luego, encendió un cigarrillo y envió un mensaje de despedida a Albert. Hizo lo mismo con Sabir y, al realizar estas acciones, se le restableció la cotidianeidad alterada por aquel paréntesis de exaltación poética.

Observó a la gente que se refugiaba en el vestíbulo de la estación. Había muchos extranjeros cariacontecidos porque el aguacero había frustrado sus planes playeros. Se fijó en un grupo de hombres de vestimenta sugestiva. Obviamente *homos*, pensó, envidiando su libertad.

La megafonía anunció entonces la llegada de un talgo con destino a París, y Charlie deseó más que nunca el momento en el que él tomaría ese tren, dentro de un mes, dejando atrás a tías, madres y amigos.

Se había propuesto hacer una «salida del armario» con Sabir y Albert antes de su partida pero, al final, no se había visto con ánimo de hacer una confesión tan melodramática. «¿Por qué tengo que hacerlo? —pensó—. ¿Acaso ellos me han confesado su heterosexualidad? ¿Acaso me ha dicho Albert si le gusta sodomizar a sus amantes?»

Aunque insatisfactorias, esas reflexiones le sirvieron para posponer el embarazoso momento de la revelación.

Tampoco había encontrado el momento de hablar con su madre. Había estado ocupadísima con la operación limpieza y terminando a la vez un trabajo pendiente. Como Charlie la conocía bien y sabía que se iba a tomar el asunto muy en serio, no quiso distraerla. Ya habría tiempo de hablar sin prisas a su vuelta en otoño, cuando los primeros fríos les encerrasen en casa y el calor de la calefacción se prestase más a hacer confidencias y a tener largas charlas llenas de importancia.

A Albert y a Sabir sólo les había visto una vez más después de aquella noche. Sabir empezó a trabajar en la carnicería *halal* que regentaba su padre en una callejuela del barrio del Raval y, como cerraban casi a medianoche, apenas tenía tiempo libre para distraerse con los amigos. Albert había iniciado ya su rutina habitual de los veranos, que consistía en ir y venir de Barcelona a la casa que tenía su familia en un pueblo de la provincia de Tarragona.

El día después de la juerga con las inglesas, cuando Charlie despertó pasadas ya las cinco de la tarde, se había encontrado con sendos mensajes de Sabir y Albert.

Ke P2 cogimos!, decía Sabir escuetamente. *Ke tal el culo?*, le preguntaba Albert.

Charlie no supo si lo de Albert era una de sus acostumbradas bromas o si era su manera de decirle que le había visto salir del club con Ernesto.

Para salir de dudas, le llamó inmediatamente. Aunque en realidad ya no le importara lo que Sabir o Albert pudieran pensar, quiso saber a qué atenerse. Si iba a tener que «salir del armario», prefería llevar él la iniciativa y no tener que enfrentarse a la defensiva a los comentarios jocosos de los amigos.

Albert acababa de levantarse y tenía una voz de ultratumba.

—Te estuve buscando antes de salir del club —le contestó sin mucha convicción cuando Charlie le preguntó qué habían hecho—, pero estaba tan lleno que era imposible moverse. Al final mi chica me llevó de vuelta a su hotel en el paseo de Gracia

—¿Y qué tal?

—Pues ya te puedes imaginar, tío. Un hotel de puta madre y toda la noche dale que te pego. ¡Eso es vida, macho!

—¿Y vas a volverla a ver?

—No sé. Dijo que llamaría. ¿Y tú? ¿Qué pasó contigo anoche?

Charlie dedujo que Albert no sabía nada de lo de Ernesto.

—Pues os estuve buscando pero no encontré a nadie. El club estaba insoportable con tanta gente, así que después de dar vueltas como un idiota me fui. Bajé andando hasta casa.

—¿No viste a Sabir?

—Ni a Sabir ni a nadie.

—Qué fuerte era el sitio, ¿verdad? ¿Subiste al piso de arriba a la jaima árabe que había en el *chill-out*? ¡La que había allí montada!

—Sí, una pasada. ¡Esos tíos sí que saben cómo divertirse!

—Daban envidia —rió Albert—. Por cierto, *tu* inglesita preguntó por ti. Se disculpó por no despedirse. Se vino con nosotros. Creo que le gustaste. ¿Por qué no hiciste nada con ella?

—Estaba demasiado pasado y aquel ambiente me cortaba. Yo soy muy raro para estas cosas. No voy echando los tejos por ahí como haces tú.

—Eres un *cortao*, tío. ¡Así nunca vas a mojar, chaval! A ver si espabilas, porque esa tía, te lo digo yo, hubiera tragado, ¡y mira que estaba bien buena!

—Otra vez será. Además, ya sabes que a mí me van más las maduritas con dinero —bromeó Charlie.

—Bueno, tío, ¡como si te van las gordas barbudas! Así no puedes seguir. Tienes ya dieciocho años. De este verano no pasa. O en la costa o en alguno de esos países por los que vas a estar rulando, pero no quiero que vuelvas de la misma manera que te vas, ¿vale?

—Vale, tío. Ya hablaremos. Además, ¿tú qué sabes? A lo mejor ya he mojado.

—Ya, ¡seguro! —comentó Albert, escéptico—. ¿Con quién? ¿Dónde? ¿Cuándo?

—Ya te lo diré cuando nos veamos —contestó Charlie con bien calculada ambigüedad, dejándose abierta la posibilidad de confesar o no el episodio de la noche anterior.

—¡Bah, tío! No me cuentes rollos.

—Pues vale. ¿No nos veremos esta noche?

—No sé. Si llama la inglesa, no.

—Bueno, yo no tengo un duro. Anoche me gasté una fortuna, así que ya me conviene quedarme en casa y ser un buen chico.

—Si no llama, ¿por qué no te vienes a casa con Sabir y vemos una peli? Estoy solo y hay whisky y porros.

La inglesa llamó para decir que estaba cansada y no saldría esa noche. Le dijo a Albert que le diera recuerdos a Charlie de parte de su amiga Connie y que no dejase de llamarla al pasar por Londres.

Los tres chicos se reunieron por última vez aquel verano. Albert estuvo presumiendo de sus proezas sexuales, y Sabir les contó que se había quedado en la discoteca hasta que la cerraron porque un tío le había estado invitando a copas y a rayas de coca.

—¿A cambio de qué? —preguntó Albert bromeando.

—A cambio de nada —contestó Sabir, fingiendo indignarse—. ¡A ver si os pensáis que yo soy maricón!

Charlie pensó que esa hubiera sido una buena oportunidad de confesarles que él *sí* era maricón. Le intrigaba la reacción de aquellos dos si de pronto les espetase: «Pues yo tengo que deciros algo. Anoche me enrollé con un tío y me gustó. Pienso que soy maricón. ¿Cómo lo veis?».

Pero al final no se había decidido y los tres se habían hundido en un sopor de porros y whisky. Sabir dormitaba y Albert tenía la mirada fija en una película absurda de superhéroes. Charlie tuvo la certeza de que esa iba a ser la última vez que los tres disfrutaban de su complicidad adolescente. Ese verano, cada cual tomaría su camino y al regresar en septiembre habrían cambiado tanto que poco tendrían ya en común.

Esa sensación de fin de trayecto se le hizo tan sofocante que se vio incapaz de seguir en aquel salón. Necesitaba aire fresco y novedades. Quería cortar ya los lazos que le unían a una vida que sabía terminada. «No más mentiras —se dijo—. No más fiestas adolescentes.» Salió al balcón a respirar el aire de la noche y decidió escapar de allí.

La zona de «ambiente» de la ciudad, el llamado *gaixample*, quedaba cerca, en las calles de detrás de la Universidad, y hacia allá se encaminó sintiendo la emoción de un explorador que se adentra en una región desconocida.

Se armó de valor para entrar con aplomo en varios bares, pero a esa hora estaban todavía desiertos o con apenas un puñado de habituales que charlaban con el camarero o jugaban a los dados en la barra. Como él buscaba la anónima sexualidad del *gay club* donde había conocido a Ernesto, ese ambiente de familiaridad le había decepcionado.

Tras un fugaz barrido visual de varios locales, se había acomodado en la barra del que le pareció más animado. Al principio se había cortado, imaginándose el centro de todas las miradas, pero, al cabo de media hora sin que nada sucediese, la timidez se trastocó en aburrimiento.

En una repisa junto a la barra encontró un plano-guía de los lugares de «ambiente» de la ciudad. Descubrió la existencia de toda una economía basada en el deseo sexual: saunas, tiendas y restaurantes. Cada lugar estaba codificado con un punto de un color diferente. Los puntos rosas indicaban bares para «ir calentando motores», entre los que se incluían la mayoría de los de aquella zona.

Estudió el mapa con detenimiento, leyendo la breve y entusiasta descripción de cada local, tomando nota mental de los que estaban señalados con un punto negro, los de ligue *a saco*.

De vez en cuando levantaba la vista del mapa y recorría el bar examinando a los grupos o parejas de hombres repartidos por el local. Unos jóvenes jugaban al billar americano en un rincón, riendo de forma exagerada, hablando en voz muy alta con mucho vuelo de plumas.

—¡Pero si me toca a mí, marica! —decía uno al que había cogido el palo de *snooker*.

—¡Qué no, so maricón, que me toca a mí!

Le chocó la manera despreocupada con que los chicos usaban una palabra que hasta entonces él solamente había escuchado como un insulto. Tendrían pocos años más que él y vestían de forma un poco estridente para el gusto de Charlie: pantalones blancos ceñidos y camisetas de tirantes con eslóganes audaces (*Nadie sabe que soy marica*, se leía en el pecho de uno de ellos). Se sintió como un niño que observa solitario a otros niños divirtiéndose en el parque, esperando que alguno le invite a unirse a ellos.

«Este es el ambiente al que a partir de ahora pertenezco», se dijo mientras repasaba por enésima vez las cuatro esquinas del local, buscando en vano alguna invitación *au voyage*, pero aquel bar de «punto rosa» no parecía un ambiente muy alentador.

Cada vez que entraba un cliente nuevo, Charlie echaba una buena ojeada al recién llegado y de buen seguro que, al toparse con su rostro ansioso, cualquiera le habría tomado por un *chapero* en busca de clientes.

Pero no entró mucha gente y, al pasar el tiempo, se encontró cada vez más fuera de lugar allí sentado en su taburete, escuchando la música machacona del disc-jockey. Pagó la cerveza y puso rumbo al siguiente puerto.

Fue de un bar a otro siguiendo la ruta del deseo aconsejada por el plano-guía, pero todos los sitios le resultaron decepcionantes. Cansado de patearse la ciudad, se había decidido a usar su último cartucho. Anduvo calle Balmes arriba hasta la discoteca donde había conocido a Ernesto, pero tampoco allí encontró el ambiente de decadencia y voluptuosa sensualidad que buscaba.

Acababan de abrir y estaba vacío. Recorrió todo el local infructuosamente. En la barra principal, un hombre hablaba con el camarero mientras éste llenaba las neveras con botellas de cerveza. En otro rincón, un trío de extranjeros despistados hacía corro en unos taburetes. El piso superior estaba cerrado y los servicios de caballeros donde la otra noche había encontrado a Ernesto estaban desiertos y olían a desinfectante y a ambientador de pino. Finalmente, se había dado por vencido y regresó a casa contrariado por el fracaso de aquella incursión.

El vestíbulo subterráneo de la estación había empezado a despejarse y Charlie dedujo que la tormenta ya habría pasado. Era casi la hora de su tren. Pagó la consumición y bajó al andén. El grupo de turistas de antes parecía haberse decidido a ignorar el temporal y a seguir con sus planes veraniegos. Su manera de vestir, pantalones de combate, camiseta ceñida, corte de pelo militar, habría horrorizado a Albert, pero Charlie sintió la atracción de aquella sexualidad obvia y grosera, lamentándose una vez más por tener que viajar en dirección contraria.

Tuvo la sensación de sentirse observado y, al levantar la vista, le pareció que uno de aquellos hombres le estaba echando el ojo. Tenía unos cuarenta años y un aspecto curtido que Charlie encontró muy atractivo.

Se cruzaron miradas repetidamente hasta que Charlie estuvo convencido de que el hombre efectivamente se le estaba insinuando, pero justo en ese momento la megafonía anunció su tren y ya se veía también acercarse por el túnel la luz de la locomotora que venía en la otra dirección. No había nada que hacer. Cuando sus ojos se volvieron a encontrar con los del hombre, los dos trenes hicieron su entrada en la estación.

Una vez a bordo, se sentaron junto a la ventana y sus miradas se encontraron separadas por los cristales de las ventanillas. El hombre le sonrió y le hizo un saludo. Charlie le devolvió la sonrisa, frustrado por perder esa oportunidad.

Partieron en dirección contraria, rumbo a diferentes destinos. Cuando quedaron atrás las luces de la estación, Charlie se encontró en la oscuridad del túnel con su propio rostro reflejado en la ventana. La imagen desfigurada del improvisado espejo le hizo verse envejecido, lleno de cavidades y honduras, como imaginaba que sería cuando su piel perdiera la tersura de la juventud y se reflejaran en él las marcas de la experiencia. Con gusto hubiera vendido él su juventud a cambio de tener ya la independencia para seguir a aquellos hombres adondequiera que fuesen.

El tren salió a la superficie en los suburbios y siguió avanzando hasta dejar atrás las últimas edificaciones de la ciudad. Había empezado a llover de nuevo y el agua resbalaba por las ventanas arrastrando la suciedad incrustada en el vidrio. Las distantes montañas cubiertas de pinos desaparecían en la distancia, desfiguradas por el agua. Todo adquirió de pronto una tristeza otoñal.

Charlie se dejó llevar por fantasías de sus futuros viajes por Europa. Se vio llegando a estaciones extranjeras: Marsella, Milán, Praga... Los nombres de estas ciudades conjuraban en él imágenes de hombres y lugares de encuentros furtivos, playas y nuevas experiencias.

Se había hecho con una guía *Spartacus* y la abrió en una página al azar. Leyó la escueta descripción de los lugares de ambiente de unas ciudades alemanas que le eran totalmente desconocidas: Wetzlar, Wiepkenhagen, Wiesbaden y Wilhemshaven, pequeños balnearios turísticos del Mar del Norte. Le sorprendió la gran cantidad de locales gays que se listaban para cada lugar. En Wetzlar había un único disco-bar, el *Planet*, pero en Wilhemshaven había bares, hoteles, saunas y «lugares de encuentro». Entre paréntesis, detrás de cada lugar, había una serie de abreviaciones misteriosas que describían el tipo de local: AC, B, DR, Lj, MA, p, s.

Imaginó las posibilidades de encuentros eróticos con atractivos germanos en el bar Mai Pen Lai de Wiesbaden (C, b, d), o en el Zoff de Wiepkenhagen (A, C, Ps) y se vio desnudo en las dunas de Wetzlar con un hombre que era la viva imagen de Wolfgang, un novio que había tenido su madre unos años antes, un hombre de suaves maneras y porte aristocrático, pelo canoso y gafas de concha. Charlie se había sentido atraído por su rostro anguloso y sus fuertes piernas velludas. Pensó en él, en el desconocido de la estación y también en Ernesto y los hombres que bebían solitarios en los bares del *gaixample*. Hombres maduros a quienes atribuía un aura erótica cargada de romanticismo.

Se le despertó un violento deseo de entregarse sexualmente a todos ellos. Se preguntó por qué los hombres maduros. ¡Había tantas cosas que no comprendía...!, tal vez alguno de los libros que cargaba en la mochila le ayudaría a encontrar una respuesta. Había hecho una cuidadosa selección de autores homosexuales: el diario de André Gide, una novela de Edmund White y el *Diario de un ladrón* de Jean Genet. Esperaba que esas lecturas le ayudaran a conocerse mejor y a hacer más llevadera la monotonía provinciana que le aguardaba en el Ampurdán. No obstante, ahora que había experimentado en su propia carne el placer erótico, presentía que ya no iba a poder conformarse con vivir a través de fantasías.

Necesitaba realidades. Abrió la guía *Spartacus* en la página de París y leyó la descripción que se hacía en ella de los bares del barrio del Marais. Quiso encontrarse ya en esos lugares, que imaginaba llenos de hombres atractivos que entonces no viajarían en dirección contraria a la suya.

Mientras tanto, en casa de la tía Irene, no le quedaría más remedio que entregarse a la lectura y vivir de forma vicaria su recién encontrado apetito sexual.

Capítulo 3

Una sorpresa muy agradable

El tren no llegaba directamente al pueblo. La estación más cercana estaba en la capital de la comarca, separada de la costa por una pequeña cadena montañosa. Habían acordado que Charlie llamaría desde el tren poco antes de su llegada para que su tía fuese a recogerle, pero, como venía muy retrasado, decidió no molestarla y le presentó como un hecho consumado que tomaría el autobús que enlazaba las dos poblaciones.

Al bajar del tren pudo respirar ya el olor característico de los pueblos mediterráneos, una mezcla de humedad, aroma de pino y salitre de mar.

El autobús arrancó y cruzó la plaza Mayor, donde había banderolas y guirnaldas y una pancarta que anunciaba las fiestas mayores. Había muchos turistas sentados en la terraza de un imponente casino municipal. Junto a ellos, unos viejos jugaban al dominó ignorando el ajetreo circundante.

Centro Moral de la Villa, se leía en el anacrónico cartel que presidía la fachada modernista del edificio. Charlie vio representado en aquel nombre toda la opresión de un pequeño lugar de provincias donde la moralidad de los lugareños era rigurosamente vigilada. Imaginó el resentimiento de los viejos jugadores de dominó y de las señoras que se abanicaban en los bancos del paseo por aquella invasión anual de forasteros que se adueñaban durante dos meses del pueblo, imponiendo sus costumbres y haciéndoles sentir forasteros en su propia casa.

El autobús dejó el pueblo atrás y enfiló una carretera que trepaba por montes cubiertos de pinos y cruzaba urbanizaciones veraniegas. De vez en cuando se veían viñedos o algún huerto abandonado, restos, como los viejos del café, de un mundo anterior a la invasión turística. Al llegar a la cima de las colinas se divisó una magnífica panorámica de la línea costera extendiéndose hacia el norte entre acantilados y pequeñas caletas de arenas doradas.

Charlie se sentía extraño en medio de todo eso. El mundo del veraneo, que él conocía sólo de oídas, nunca le había provocado mucho entusiasmo. Le habían parecido un infierno las pandillas de urbanización, las «collas», como las llamaban sus compañeros de instituto. Charlie era barcelonés de la calle Pelayo, y todo eso —las canciones del verano, los chiringuitos, los turistas quemados por el sol y las discotecas «para todos los públicos»— le parecía de una vulgaridad espantosa. Sin embargo, aquella esplendorosa geografía, el intenso azul del Mediterráneo y el verdor de los pinos relajaron un poco la animadversión que había ido creándose contra aquel lugar.

Al descender a la costa, la carretera corría paralela al mar, colgando sobre acantilados y atravesando poblaciones llenas de restaurantes, supermercados y tenderetes callejeros donde se vendían gafas de sol, trajes de baño y sandalias de goma. De vez en cuando, al dar una curva cerrada, aparecía en la distancia el pueblo blanco de verdes postigos al que se dirigían, brillante bajo el cielo azul.

Hacía ya muchos años que esa región había dejado de ser un lugar remoto que vivía de la pesca y del contrabando con Francia. Primero se había convertido en lugar de descanso de la alta burguesía barcelonesa, y aún se veían aquí y allí algunas villas lujosas transformadas ahora en hoteles o en residencias para la tercera edad, abandonadas como marquesas ajadas entre las construcciones modernas que habían destrozado el encanto de las caletas solitarias. Las antiguas aldeas de pescadores estaban ahora ocultas tras una muralla de feos bloques de apartamentos en primera línea de mar.

La mirada de Charlie iba de la vista que se abría al otro lado del ventanal del vehículo a las manos huesudas del conductor que negociaba las curvas con destreza. Se imaginó protagonizando una película pornográfica retozando entre los pinos con aquel hombre de aspecto rudo.

Le chocaba el cambio que había experimentado. Hasta la noche con Ernesto, había sido un joven asexuado, incómodo con las constantes bromas de Albert, fingiendo un interés por el tamaño de los pechos de las modelos de las revistas masculinas. ¡Y ahí estaba él ahora, imaginándose escenas porno con un conductor de autobús!

Todo lo que iba viendo al otro lado de la ventana tenía un aire de exasperante «normalidad». Sospechó que le resultaría imposible satisfacer su recién descubierto apetito sexual en aquellos apartamentos donde respetables familias de clase media dormían la siesta en el sopor de la sobremesa. No descartaba la posibilidad de algún encuentro furtivo al caer la noche en algún paraje escondido, pero pensó que eso era lo más que podía esperar en aquel pueblo.

El autobús llegó al paseo marítimo. Apenas reconoció el pueblo que había visitado con su madre el invierno anterior, cuando la playa había desaparecido bajo las grandes olas que barrían la calzada y todo había estado desierto. Ahora el sol brillaba y el cielo estaba de un azul resplandeciente. La gente caminaba en traje de baño y olía a pescado, a mar y a crema bronceadora. Tal como Charlie había imaginado, el lugar transpiraba un plácido aire burgués. El paseo estaba lleno de terrazas sombreadas por toldos multicolores y llegaba un suave rumor de olas mezclado con voces de niños jugando en la playa.

Encendió un cigarrillo y se volvió hacia el mar, mirando los acantilados al otro lado de la bahía, allá donde sabía que empezaba Francia, donde pronto empezaría a vivir de verdad. Mientras tanto, tendría que conformarse con aquella paz provinciana.

Apenas conocía a la tía Irene. Sabía que había ayudado a su madre en tiempos difíciles y recordaba con cariño la ilusión con la que él había recibido los regalos que les enviaba regularmente desde México o California. Tenía un hijo al que Charlie nunca había conocido, excepto por alguna fotografía. Hacía ya bastantes años que había enviudado y, cansada del *American way of life*, recientemente había decidido regresar a Europa e instalarse en el pueblo de la Costa Brava donde había veraneado de niña. Allí la habían visitado Charlie y su madre el invierno anterior. Era una señora de rostro arrugado y complexión enjuta. Bastante mayor que Maribel. En su juventud había sido bailarina profesional. A Charlie le había parecido un personaje muy novelesco, con su moño tirante y su pasado cosmopolita.

Se dirigió hacía la torre de la iglesia, junto a la cual estaba la casa de su tía, en una placita justo detrás, subiendo por las callejuelas que trepaban tortuosamente hacia la cumbre de la colina que se alzaba sobre el pueblo.

El caserón de la tía Irene, con sus balcones de hierro forjado y sus celosías verdes, tenía el aspecto noble de las antiguas mansiones coloniales. Charlie, que a través de películas y lecturas había ido formándose una idea de lo que constituía el «buen gusto», se alegró de que no fuese una de las casas modernas construidas en los últimos años. La puerta estaba solamente entornada y, tras golpear varias veces un picaporte de hierro forjado sin que nadie viniera a abrir, entró sin más a la fresca penumbra interior.

Flotaba en el aire un delicioso olor a comida que se mezclaba con el tufillo a humedad típico de las viejas casas marineras. Cuando la vista se le acostumbró a la oscuridad, reconoció los muebles de estilo colonial que la tía Irene se había traído de California y el salón de elaborada chimenea modernista donde se habían sentado en su visita anterior.

—¿Tía Irene? —llamó desde el salón.

No hubo respuesta y siguió avanzando hacia la cocina, donde se encontró con su tía leyendo con ojos miopes un arrugado papel mientras removía algo en una cazuela que había en el fuego.

—Charlie, mi sobrino. Ay, perdona que ni te oí entrar, mi hijo. Estoy tan ensimismada con mi receta...

Dejó el cucharón de madera sobre el mármol de la cocina, se limpió las manos en un paño y se acercó a besarle.

—La puerta estaba abierta y, como llamaba y no oías...

—Sí, sí. Siempre la dejo así cuando estoy en casa. Ya sé que ahora en el verano no es muy prudente, pero es que una se acostumbra a la tranquilidad del invierno y hasta que no me roben un día... y no es que haya mucho que robar aquí, pero... Disculpa un segundito. Me pillaste en el momento más delicado de este plato que estoy preparando. Enseguida estoy contigo. ¿Quieres ducharte? Estarás cansado del viaje con este calor que hace.

—Disculpa el retraso, pero perdí el tren.

—No te preocupes. Me alegro de que hayas llegado a tiempo para la comida.

—¿Qué es lo que preparas?

—Una receta de un plato local que me pasó la vecina. Una cosa sencillísima y complicadísima a la vez. Pero sube a instalarte mientras yo termino.

—Me daré una ducha antes de comer, si hay tiempo —dijo Charlie, que se sentía efectivamente sucio y sudoroso tras el viaje.

—Pues sube arriba. El baño está al lado de tu cuarto, que es la primera puerta que hay a la derecha. Dejé una toalla encima de la cama. Ya verás que estarás de maravilla aquí, pero esto estará listo en media hora, así que no te demores.

—Sí, no tardo nada.

La tía Irene llevaba el mismo moño tirante y los labios pintados del mismo color encendido que Charlie recordaba haber visto en el invierno. Vestía una especie de chilaba marroquí con bordados de oro que le daba el aspecto de una antigua hippie.

Subió la escalera y entró en la habitación que le había asignado la tía. Era amplia y de techo alto. Junto a la cama había una mesita de noche con un ventilador, y en la esquina una mesa escritorio, todo de impresionante madera noble. Un gran armario a juego con el resto de los muebles ocupaba casi toda la pared de la derecha. En la pared opuesta, junto a un espejo, había un póster que anunciaba un ballet en el Liceo de Barcelona en el que había bailado la tía Irene.

Se encontró muy a gusto. Toda la casa resultaba agradable y cómoda. En la pared frente a la puerta, tras una gruesa cortina, había un balcón con los postigos cerrados. Al abrirlos, se vio cegado momentáneamente por la luz radiante del sol que caía sobre las losetas rojas de una gran terraza. Al otro lado de la barandilla estaba la montaña cubierta de pinos, recortada contra el cielo azulísimo como en un cuadro. Flotaba en el aire un olor a romero y a jazmín que se mezclaba con el aroma del guiso de la tía Irene que subía desde la cocina. Se oía el sonido de las chicharras.

Desde la terraza se veía un pequeño jardín hundido entre la casa y la montaña, a resguardo del calor. En él crecían una espléndida buganvilla y un par de manzanos. Una suave música de jazz llegaba desde algún lugar y un gato lustroso dormitaba sobre el tejado de la casa contigua.

Regresó al frescor interior y se desnudó frente al espejo. A pesar de que no hacía ningún tipo de deporte, tenía los músculos robustos, la cintura bien torneada y los hombros anchos como un nadador. Sintió un placer narcisista en admirar su cuerpo juvenil, pensando en lo deseable que debería de resultar.

Le acudió una súbita erección y se echó en la cama para pajearse invocando los músculos del conductor, su propio cuerpo reflejado en el espejo e imágenes confusas de Ernesto y el hombre que había visto en la estación de Paseo de Gracia.

Luego tomó una ducha en el cuarto de baño, se cambió y bajó a reunirse con su tía.

—Ya estás más refrescado, ¿verdad? —le dijo ella cuando entró en la cocina.

—Sí, tía.

—Estupendo. Siéntate afuera mientras termino esto.

En la terraza había una mesa dispuesta con servicio para tres, y Charlie se preguntó quién sería el tercer comensal. Bajó por las escaleras de piedra que descendían de la terraza al jardín de la buganvilla y paseó descalzo sintiendo el frescor de la hierba bajo sus pies, mientras respiraba el aroma del jazmín que crecía por el muro que separaba la casa del bosque de pinos. Levantó la vista hacia el cielo y se reconcilió con la idea de pasar un mes entero en aquella magnífica jaula dorada. Planeó retirarse a leer a aquel jardín umbrío por las tardes y se imaginó un verano de *luxe, calme et volupté* perdiendo el tiempo mientras se dejaba mimar por aquella tía que, con su acento mexicano y su atuendo hippie, le resultaba tan original.

Subió de nuevo las escaleras y regresó a la terraza, donde apareció la tía con una cazuela de barro.

—Creo que no me quedó mal del todo el guiso. Es la primera vez que lo hago. Tenemos un vecino pescador que me conoce del invierno y siempre me trae los pescados que le sobran, y una señora del pueblo que cocina para la vecina de al lado me dio la receta de este plato.

Charlie se acercó a la mesa y probó un poco con la cuchara. El paladar se le llenó de sabores.

—Mmm..., riquísimo.

La tía Irene sonrió satisfecha.

—Estupendo. Siéntate ya a la mesa, que vamos a comer ya mismo.

—¿Tenemos invitados? —preguntó Charlie señalando el tercer cubierto que había sobre la mesa.

—Mi hijo Heriberto llegará de un momento a otro. Fue a correos a echar un paquete.

—¿Tu hijo? —preguntó Charlie sorprendido, pues no le había dicho su madre que hubiese nadie más en la casa aquel verano.

—Sí. Está aquí trabajando en un libro.

—Pensé que íbamos a estar solos.

—¿No te dijo tu madre? Bueno, igual se olvidó pero, sí, por fin van a conocerse ustedes. Para celebrarlo, hoy comeremos con cava. ¿Te parece bien?

La tía Irene sacó una botella de cava fresquísimo que Charlie se pasó por la cara sintiendo el confort del frío en la mejilla.

—Estupendo. Nada me apetece más —respondió Charlie.

—Pues ábrela y sírvelo, que Heriberto ya estará al llegar. Mira, creo que ya oí la puerta. Debe de ser él.

Charlie descorchó el cava ceremoniosamente y el tapón salió disparado al jardín. Oyó el saludo del primo Heriberto mientras servía las copas y, al alzar la cabeza, se encontró con una muy agradable sorpresa.

Capítulo 4

El primo Heriberto

Cuando se hablaba en su casa del primo Heriberto, Charlie siempre lo había imaginado, absurdamente dada la edad de la tía, como un joven más o menos de sus mismos años; por eso le sorprendió encontrarse frente a un hombre bastante mayor.

Dos cosas le vinieron a la cabeza al ofrecerle una copa de cava al primo Heriberto. Primero, que era muy atractivo. Segundo, que era homosexual. Su belleza era evidente y era indiscutible. Ahí estaban los pómulos esbeltos, la perfecta estructura ósea de la mandíbula, el porte atlético y la inescrutable profundidad de sus ojos oscuros. Todo su cuerpo rebosaba salud y actividad física. No supo atribuirle una edad definida, pero calculó por su cara rugosa y por el color salpimentado de sus cabellos que estaba en el lado malo de los treinta.

En cambio, no hubiera sabido identificar exactamente lo que le transmitía aquella impresión de homosexualidad, pues no había en aquel rostro varonil ningún signo obvio de refinamiento femenino ni ambigüedad andrógina en su robusta constitución. Al contrario, todo él exudaba una masculinidad rugosa y áspera. Era algo intangible, como las feromonas que desprenden algunos animales y que sólo perciben los de su misma especie.

Se saludaron con un brindis seguido de un apretón de manos, y la tía Irene les urgió a sentarse a la mesa y a servirse de la paellera el sabroso guiso marinero.

Empezaron preguntándose por sus respectivas vidas. Charlie le contó sus planes para el resto del verano y habló de los estudios que iniciaría a partir de septiembre.

—Ah, bueno, te interesan los libros, pues —dijo Heriberto.

—A lo mejor el primo Charlie tiene tus mismas inclinaciones —comentó la tía Irene, sin sospechar el doble sentido que aquellas palabras tenían. Charlie estuvo a punto de soltar una carcajada.

—Estudiar literatura es muy estimulante —declaró Heriberto—, pero supongo que ya sabes que no es precisamente un pasaporte a una profesión bien remunerada. Desde luego no es lo que yo recomendaría estudiar a una persona ambiciosa.

Charlie se encogió de hombros.

—A mí me gusta leer, y por eso lo he elegido. Aún no sé que voy a hacer en el futuro. Es pronto para decidir, así que mejor estudiar algo que me gusta y ya veremos qué pasa luego.

—En mis tiempos, la filología era una carrera bien considerada —dijo la tía Irene.

—Para las mujeres. Los hombres estudiaban ingeniería o derecho. Yo creo que incluso entonces se veía ya como un adorno para señoritas inquietas. El hombre que quería escribir, escribía y ya está, pero no se metía a «estudiar» literatura —dijo Heriberto—. ¿Tú escribes? —añadió dirigiéndose a Charlie.

Charlie se puso colorado. Recordó las páginas inconexas de su diario y los poemas que había garabateado en un cuaderno, y sintió vergüenza de todo ello.

—No, no. Yo sólo leo.

—¡Ay, no te creo! Todos los jóvenes tienen un poema escrito —dijo la tía Irene.

—Bueno, algunos prefieren la poesía de las cifras —rió Heriberto—. ¡Y bien que hacen! Otros nunca terminan de encontrar la magia de las cosas, y la mayoría bastante tiene con abrirse camino en este mundo difícil.

Charlie no se atrevió a contribuir a aquel intercambio de comentarios entre madre e hijo por miedo a hacer el ridículo. Recordó una de esas máximas que la gente escribía en las carpetas del instituto: mejor estar en silencio y dar la impresión de estupidez que abrir la boca y no dejar ninguna duda.

Le hubiera hecho miles de preguntas a Heriberto, pero temía resultar brusco o excesivamente curioso. Finalmente, recordando que la tía le dijo que Heriberto estaba escribiendo un libro, se atrevió a preguntar:

—¿Escribes novelas?

—No, no. No me salen las mentiras. Lo mío es la biografía o la divulgación histórica. No sabría escribir así... de la nada, no soy tan bueno.

—Oh, no seas modesto —dijo la tía—, ya sabemos que eres bien fino con las palabras.

—Tal vez, pero no olvides que nunca he escrito nada que no esté basado en hechos comprobables. Como digo, no tengo imaginación —dijo guiñándole el ojo a Charlie.

—¿Y qué es lo que estás escribiendo ahora? —preguntó él, esforzándose por no mirar demasiado aquellas pantorrillas velludas y bien torneadas.

—Una biografía de Dalí que me encargaron. ¿Dónde mejor que aquí, su tierra natal?

—Yo conocí a Salvador en mis buenos tiempos —dijo la tía Irene—. Era conocido de mi primer novio en los años de Nueva York, y alguna vez coincidimos en casa de algún marchante. No me resultó simpático... y su mujer era bien rarita, la recuerdo bien. No, nunca me cayeron muy simpáticos. Tenían algo de aves de rapiña los dos, ya saben ustedes cómo le llamaban a él: Avida Dollaris, haciendo un anagrama con su nombre, Salvador Dalí.

—Eso lo dijo André Breton, cuando le expulsaron del grupo surrealista —dijo Charlie, contento de poder demostrar que él también tenía un poco de cultura.

Al terminar de almorzar, Heriberto rechazó el café, disculpándose por tener que continuar con su trabajo.

—Hay que ser muy disciplinado para escribir —dijo cuando se levantaba para retirarse al cuarto que tenía en el ático de la casa.

Charlie sí aceptó la taza de café que le ofrecía su tía y, cuando se quedaron solos en la terraza, la interrogó sobre Heriberto.

La tía le contó que había vivido casi siempre en los Estados Unidos y que se ganaba la vida como escritor y periodista. Tenía varios libros publicados. Al verle interesado, la tía fue a buscar un par que dijo tener en la casa. Uno era la biografía de un poeta mexicano que Charlie conocía sólo de nombre. El otro, un estudio sobre las comunidades jesuitas del estado de Chiapas. Charlie leyó las solapas buscando en los datos biográficos reseñados en ellas algún detalle interesante, pero lo único que encontró entre el habitual resumen de méritos académicos y logros profesionales fue su fecha de nacimiento.

Calculó que tenía cuarenta y cinco años, lo que, desde sus dieciocho recién cumplidos, se le antojó una barbaridad.

—¡Cuarenta y cinco años! No lo parece —exclamó dejando los libros sobre la mesa.

La tía Irene sonrió.

—Sí, a mí también me sorprende cada vez que lo pienso. ¡Me hace tan vieja...! En fin, los años pasan muy deprisa. A partir de los treinta todo vuela. De todas formas, sí que es cierto que Heriberto está de muy buen ver todavía.

Charlie vio la oportunidad perfecta de encajar lo que quería saber:

—¿No está casado?

—Heriberto no es de los que se casan —respondió ella sonriendo. Charlie entendió la frase como una confirmación de sus sospechas.

Le hubiera gustado continuar indagando detalles sobre Heriberto, pero, mientras él hojeaba los libros, la mujer sufrió un ataque de sueño y se quedó dormida en el sillón de mimbre.

Charlie subió entonces a instalarse en su nuevo entorno. Colocó sus escasas ropas en el armario y puso sobre el escritorio los libros que había traído, dejándolos conspicuamente a la vista con la esperanza de que Heriberto los descubriese allí, dándole así ocasión de revelar sus inclinaciones sexuales.

Después de dejar sus cosas, salió a dar una vuelta para hacerse una idea de las dimensiones exactas del territorio de su exilio.

El centro del pueblo, donde vivía la tía Irene, lo formaba un conjunto de calles estrechas y empinadas alrededor de la plaza de la iglesia, que era muy tranquila y estaba rodeada de viejas casas de pescadores reconvertidas en residencias de veraneantes. Todo era muy pulcro y estaba muy bien dispuesto. Las fachadas estaban encaladas o bien mostraban la piedra de la montaña. Ese centro histórico iba a desembocar en el paseo marítimo, que recorría todo el arco de la bahía desde la playa de guijarros frente a la que estaba la parada del autobús hasta el puerto pesquero, donde el paseo terminaba en una empinada cuesta. Charlie caminó observando a la gente y mirando las tiendas, dejándose llevar por el *dolce far niente* de la tarde.

Aquellas eran sus primeras vacaciones auténticas y, mientras iba por el paseo marítimo, admirando la pintoresca belleza de la bahía y estudiando los tipos humanos que paseaban a esa hora de la tarde, se sintió como uno de los narradores ociosos de las novelas de Henry James. La presencia de Heriberto abría la posibilidad de desarrollar un argumento interesante durante aquella estancia. Charlie se prometió aprovechar al máximo esas posibilidades.

Encendió un cigarrillo y se sentó en uno de los bancos. Las barcas de pescadores regresaban tras la jornada en alta mar, y el cielo estaba lleno de gaviotas que revoloteaban anticipando un festín cuando los marineros desembarcasen su mercancía.

Se distrajo estudiando las figuras masculinas que cruzaban su campo de visión, intentando descubrir alguno que pudiera compartir sus gustos sexuales. Se preguntó qué características distinguían a *heteros* y *homos*. La ropa, desde luego, aquel traje nacional de pantalones de combate y camisetas de tirantes y pelo imitando a los marines norteamericanos. Esos eran rasgos definitivos de afinidad con una orientación sexual. También lo era un cierto amaneramiento de la postura, la forma de sostener un cigarrillo, demasiado artificial, o cierta cualidad femenina en la manera de cruzar las piernas o apoyarse en la pared, pero los hombres que jugaban a cartas en las terrazas de los bares o los chicos que iban arriba y abajo por el paseo tenían un lenguaje corporal definitivamente *hetero*.

Caminó hacia el puerto pesquero y subió por la cuesta hasta lo alto de un acantilado del que colgaban varias villas modernas y lujosas con su propia entrada para botes a ras de playa. Había un mirador sobre una pequeña playa de guijarros en la que la gente tomaba el sol desnuda. En la cala había también un chiringuito. El lugar invitaba a sentarse a contemplar el sol que descendía rápidamente a esa hora y se dirigió hacia allí bajando por una escalera tallada en la roca.

Una vez en el bar, se sentó en una mesa, pidió una cerveza y se quedó contemplando la playa y los cerros que se alzaban al otro lado de la bahía, donde imaginaba que estaría la línea de la frontera francesa que él cruzaría bien pronto.

Volvió a perderse en sus habituales ensoñaciones hasta que la voz ronca de una mujer le devolvió a la realidad.

—Eso es una cursilada tremenda —dijo la voz.

—Es igual. No importa. Escríbelo y *on verra!* —respondió otra voz femenina.

—Ay no, qué mal queda, Virginie. No, mira, vamos a poner esto otro: «*Quand ce soir la nuit des amants arrivera, nous nous rencontrerons au café sur la plage et, après, on verra*». Queda más cachondo, como de poesía mala, ¿no? Y lo firmamos en español así: *De las marchosas chicas de la otra noche*, y que se busquen la vida, tía.

Charlie se volvió para ver quiénes eran las chicas que hablaban tan alto. Su mirada se cruzó con la de una joven gordita vestida toda de negro, con el pelo muy corto teñido de rojo fuego a juego con sus labios. Al descubrirle mirando en su dirección, le dedicó una seductora sonrisa y le dijo a su amiga:

—Mira, vamos a ver qué piensa este chico tan mono.

Charlie sintió que le subían los colores a la cara por haber sido pillado escuchando una conversación ajena.

—Estamos escribiendo un anónimo a unos tíos que nos gustan —dijo la gordita— pero no se atreven a abordarnos. Creo que les asustamos.

—Eres tú la que les asusta —protestó la otra en buen castellano pero con inconfundible acento francés—. Tienes una manera de ligar muy agresiva con los chicos y les asustas.

—Ay, mira, Virginie, *tu sais ce que je leur dis*: que se jodan. Les vamos a dejar este anónimo en la recepción del camping y, si captan el mensaje, bien, y si no, ¡que los jodan!

—¿Qué te parece la idea? —preguntó dirigiéndose de nuevo a Charlie, quien se limitó a sonreír forzadamente y a asentir. Aquella chica le parecía muy simpática, pero no tenía un especial interés en entrar en sus historias.

—Si a ti te enviasen un anónimo así, ¿qué pensarías? —insistió ella, determinada a incluirle en la conversación.

—Es una buena idea. El que no arriesga no gana.

Lo dijo sin querer comprometerse, de forma mecánica y soltando un lugar común antes de volver a concentrarse en los colores del atardecer que empezaba a encender las nubes tras las montañas.

—Lo ves, hay que ponerles algo un poco cachondo —oyó que la gordita le decía a la francesa, como si él hubiera confirmado sus sugerencias.

—Aquí se viene a ligar y a divertirse, y ese par de pavos no han venido aquí a otra cosa, pero son unos cortados y hay que darles un empujón.

—A lo mejor es que no les gustamos —dijo la amiga con racionalidad cartesiana— porque, si no, ya nos hubieran atacado anoche cuando te estuviste insinuando con tanto descaro al de las gafas.

—Ya, y a lo mejor son maricones, pero hay que arriesgarse, como ha dicho este chico —contestó la otra, intentando atrapar de nuevo la atención de Charlie, pero, como él pretendió no escuchar, le abordó directamente:

—¿Estás sólo?... Sí, tú. El de antes. ¿Cuándo has llegado? No te había visto antes por aquí

Estaba claro que la chica no tenía intención de dejarle tranquilo, así que volvió a cruzarse la mirada con ella y respondió:

—Acabo de llegar. Voy a estar un tiempo aquí. Estoy visitando a mi tía.

—Yo soy Miriam y esta es mi amiga Virginie. Es gabacha y de virgen sólo tiene el nombre.

—*Oh, là là!* —se quejó la otra entornando los ojos como señal de desaprobación por la broma tonta de la amiga.

Charlie forzó una sonrisa.

—Yo soy Charlie.

—Pero tú eres español, ¿no? —le preguntó Miriam, demandando una explicación por ese nombre extranjerizante.

—Sí, pero todo el mundo me llama Charlie. Hasta mi madre.

—Ya. A mí me llaman Mimí. Y a esta *Gigí.* ¿Quieres venir con nosotras hasta el camping y así nos haces un favor? Les dejas tú esto en la recepción a ese par de merluzos y de esta manera no levantaremos sospechas.

—No, lo siento. Ahora no puedo. Tengo que encontrarme con mi tía dentro de nada.

—Pero si lo nuestro es sólo un momento y luego te vas.

—No, gracias —dijo levantándose—. No puedo. Ya nos veremos por aquí otro día. Buena suerte.

—Seguro. Nosotras siempre estamos aquí por la tarde... ¿Qué haces esta noche?

—Acabo de llegar y voy a estar con la familia —se excusó Charlie.

—Vente luego a la disco. No es que sea una maravilla, pero es donde va todo el mundo después de los bares.

—Bueno. A lo mejor. No sé. Si no, otra noche.

—¡Anímate! Hay dos discos, pero la mejor es Chez Magritte, la diseñó Dalí. La otra es una horterada.

—Vale, pues si acaso ya sé dónde encontraros.

—Allí nos vemos, guapo —dijo ella enviándole un beso teatral.

Charlie caminó por la arena hacia los escalones que subían a la carretera. A mitad de la subida se volvió y vio que Mimí le estaba mirando. Le hizo un saludo con la mano.

El sol ya estaba poniéndose y los restaurantes del paseo se preparaban ya para la cena. En la casa, la tía Irene estaba en la cocina y el primo Heriberto, arriba en su cuarto, tecleaba en el ordenador. Por el frenesí con el que lo hacía debía de estar muy inspirado.

Como todavía quedaba una hora para la cena, decidió echarse en una de las tumbonas de la terraza, desde donde contempló la luna creciente, mientras oía el canto de los grillos que habían sustituido a las chicharras diurnas. Se quedó adormilado y no despertó hasta oír que la tía Irene le llamaba para la cena.

Heriberto ya estaba sentado a la mesa. Hacía tanto calor que llevaba sólo unos *shorts* de tenis, mostrando su pecho musculoso. Gotas de sudor le caían por la frente. Charlie lo encontró más atractivo todavía y se maravilló de aquellos espléndidos cuarenta y cinco años.

Se sentó a su lado, agarrando el tazón de gazpacho que le ofrecía la tía Irene.

—Este calor de hoy es una barbaridad —dijo Heriberto—. Apenas corre aire aquí en la terraza.

—Sí, es que tu cuarto es muy caluroso. Yo te puse allí porque estuvieras más tranquilo pero, claro, estás bajo el tejado y es un horno. ¿Por qué no trabajas aquí si tienes demasiado calor allá en el ático?

—Como siga esta ola de calor voy a tener que escribir en la bodega.

—Y ¿qué hiciste esta tarde? —le preguntó la tía a Charlie—. ¿Fuiste a darte un baño? Yo ya ves que me quedé dormida. Siempre me pasa. Debe de ser la edad. Luego por la noche me cuesta horrores conciliar el sueño.

—La siesta es uno de los placeres del verano —dijo Heriberto—. ¡Ya me gustaría a mí poder echarme un rato!

—Di una vuelta por el pueblo —explicó Charlie respondiendo a su tía—. Llegué hasta el final del paseo para ver la puesta de sol.

—Son estupendas aquí —comentó ella—, aunque las mejores para mí son en el otoño, cuando a media tarde parece que se incendie todo el cielo.

—El mejor sitio es arriba de los acantilados, pero hay que ir en coche. Un día te llevaré allí —le dijo Heriberto.

—Me encantaría —contestó Charlie, pensando que sería una ocasión magnífica para un romántico *affaire* con Heriberto. Imaginó el olor de los pinos, el mar, la luz crepuscular y ellos dos enlazados en un apasionado abrazo.

—¿Fuiste hasta la cala que hay abajo del mirador? —preguntó el primo.

—Sí, y estuve sentado en un chiringuito que hay allí.

—El de la playa nudista —dijo Heriberto, sonriendo.

Charlie asintió.

—Es la mejor cala que hay por aquí. Yo siempre voy a bañarme allí.

Charlie tomó nota mental del dato registrando que tendría que estudiar las horas de baño de Heriberto.

—¿Vas a la playa a menudo? —le preguntó, como quien no quiere la cosa.

—Intento ir cada día después de hacer mis ejercicios. Me va bien para concentrarme.

—¿A qué hora vas normalmente?

—Por la tarde en algún momento. Si estoy atascado con lo que escribo, a veces salgo disparado y me doy un baño en esa agua tan rica que hay en la cala. Luego regreso como nuevo con las ideas bien claritas y la prosa suelta.

Charlie sintió una punzada de deseo al imaginar al primo Heriberto lanzándose desnudo al agua.

—Pero hoy no fuiste a pesar del calor.

—No, hoy estuve dale que te pego toda la tarde. Hay que aprovechar los momentos de inspiración. Haga calor o frío. Ahora me van a disculpar ustedes, pero tengo que continuar con el trabajo —dijo levantándose de la mesa.

—¿No vas a tomar el postre?

—No. Ya bajaré después a por un poquito. Discúlpame, pero prefiero terminar lo que estoy escribiendo ahora que cogí carrerilla.

Charlie se sintió frustrado por aquella desaparición rápida tras haber estado esperando toda la tarde el nuevo encuentro con Heriberto. Hubiera querido concretar algo más la oferta de ir a ver la puesta del sol o averiguar cuándo iba a bañarse al día siguiente. Pensó que tendría que ser más lanzado si quería hacer progresos con aquel escurridizo primo, tan absorto en su trabajo.

Tras la cena, volvió a acomodarse en la tumbona de la terraza del piso de arriba y se dedicó a idear la manera como, al día siguiente intentaría atrapar a Heriberto y acompañarle en su baño en la cala nudista. El aire de la noche era verdaderamente caluroso, pero el olor a pino y romero daba cierto frescor.

Oyó a la tía Irene recoger la loza de la cena y llenar el lavaplatos. Luego, la oyó subir y acercarse adonde estaba él tumbado.

—Se está más fresquito aquí, ¿verdad? Yo voy a salir un rato a jugar una partida de cartas con la vecina. Siempre lo hacemos al anochecer para ir cogiendo sueño. ¡Es tan difícil con estos calores...!

—Muy bien.

—¿Y tú, por qué no te vas a dar una vuelta esta noche? Ya verás que conoces gente pronto y te diviertes.

—No creo. Estoy cansado y aquí se está muy relajado.

—Bueno, tú mismo. Ya verás qué bien lo pasas aquí. Espero que no extrañes la ciudad.

—No te preocupes por mí. A mí no me hace falta conocer a nadie. He venido a estar tranquilo y ya me va bien este silencio.

—Yo volveré tarde porque siempre nos liamos y se nos hacen las tantas. Que duermas bien.

—Gracias, tía.

Cuando se quedó solo, se quitó los *shorts* y estuvo desnudo en la oscuridad iluminado por la luz de la luna creciente. Esperaba que tal vez el primo Heriberto encontrara un bache de creatividad y apareciera en la terraza y le descubriera así. Entonces él se haría el inocente y tal vez eso provocara que, a solas, sin la tía, el primo al verle desnudo y disponible no pudiera refrenar su deseo y ambos entraran en el cuarto e hiciesen el amor.

Tanto le encendió el deseo este pensamiento que tuvo que masturbarse. Pero el primo no apareció y finalmente se retiró a su cuarto y cayó en un sueño profundo.

Capítulo 5

La magia de las cosas

—¿Qué tal fue el día de playa? —le preguntó la tía en el almuerzo.

—Estupendo. El agua estaba riquísima. Transparente como nunca se ve en Barcelona.

—¿Fuiste a la nudista? —preguntó el primo.

—No, al otro lado de la bahía.

—Ese lado no es tan bueno porque el agua es poco profunda y no se nada bien. Además, siempre está llena de chiquillos bullangueros. Yo creo que la mejor es la nudista. En el otro extremo del paseo.

—Ya me lo dijiste, pero hoy quise explorar el otro lado.

—El chiringuito que hay allá es muy simpático.

—Sí, me pareció muy agradable. El otro día creo que hasta ligué con un par de chicas que había allí —dijo recordando su encuentro con Mimí, aunque inmediatamente se arrepintió, temiendo que Heriberto le tomara por un *hetero* recalcitrante.

—Me alegro que hagas amistades. No quiero que te aburras aquí con nosotros —dijo la tía Irene.

—Yo siempre estoy a gusto solo y no me aburro nunca.

—Echarás de menos a tus amigos de la ciudad, ¿no? —intervino Heriberto.

—Bueno, la verdad es que tampoco tengo tantos amigos que echar de menos y, de todas formas, ahora están todos de vacaciones fuera de Barcelona.

—Tú también fuiste un chico solitario —dijo la tía Irene, iniciando, con gran satisfacción para Charlie, lo que iba a ser un tema recurrente en aquellas reuniones de sobremesa: los recuerdos familiares.

—Bueno —replicó Heriberto—, tampoco es que hubiera mucho que hacer en el rancho de papá más que hablar con las vacas.

—Sí, pero tenías muchos amigos de la escuela que te invitaban a sus casas y no querías ir nunca.

—Es que eran todos unos malcriados y unos esnobs insoportables. La burguesía mexicana es la peor del mundo. No sé cómo pudiste soportarlos, mamá, viniendo de Europa.

—Es verdad que en ciertos aspectos México parece anclada en el feudalismo, pero entonces, comparado con España, era como Nueva York —protestó ella.

—¿Vivíais en un rancho? —preguntó Charlie, quien escuchaba con gran curiosidad los detalles de aquel pasado tan lejano en el tiempo como en la geografía.

—Sí, un lugar tedioso donde sólo había culebras venenosas, vacas escuálidas, cactus de espinas diabólicas y un sol abrasador.

Heriberto dijo esto entornando los ojos y, por primera vez, Charlie percibió en él cierto amaneramiento.

—Bueno, la casa era muy bella. La verdad es que nosotros sólo estábamos en el rancho los veranos. Tu padre y yo viajábamos mucho entonces.

—¡Mientras yo estaba en el colegio interno con los pinches curas!

—Reconozco que no fui una madre ideal cuando eras niño. Por eso ahorita te mimo tanto —bromeó ella—. Necesito recuperar el tiempo perdido.

—Lo haces estupendamente —dijo Heriberto con una sonrisa un poco burlona—. No sé qué voy a hacer sin ti cuando vuelva a Nueva York.

—Seguro que tu mamá también te mima. ¿No es así, Charlie?

—Dentro de sus posibilidades. Es difícil para ella trabajando tanto.

—Tu madre es admirable. Es duro ser madre sola. A la vista está que ella ha hecho un buen trabajo.

Charlie no dijo nada. Se cortaba siempre que alguien le elogiaba. Además, no le parecía que su vida tuviera ningún interés. Al contrario, era de lo más sosa comparada con la exuberancia que atribuía a Heriberto y a la tía Irene.

—A mí me gustaría mucho conocer México —dijo, intentando reconducir la conversación hacia aquel mundo mucho más interesante. Debe de ser un lugar fantástico. La Ciudad de México es la mayor del mundo.

—Eso dicen, pero yo no perdería mucho tiempo en el DF. Es un lugar sucio y contaminado. Lo mejor es visitar otros lugares: Cuernavaca, el Yucatán, Chiapas... El DF no vale la pena.

—Sí, ahorita se volvió bien bruto, pero en mis tiempos era un lugar muy lindo. Entonces no había tantos carros y desde nuestra casa en Coyoacán se veían los volcanes. Cuando yo me casé con tu padre era un sitio exótico, pero también muy moderno.

—¿Y cómo terminasteis en los Estados Unidos? Recuerdo que a mí me hacía mucha ilusión recibir tus cartas desde Los Ángeles. ¡Siempre presumía en el colegio de tener una tía en Hollywood!

—¡Qué bueno! Pues fue por negocios de mi marido. Entonces fue cuando nació Heriberto.

—¿Y te gusta Los Ángeles? —preguntó Charlie al primo Heriberto, deslumbrado por aquel despliegue de geografías lejanas, él, que nunca había salido de España, excepto una vez de pequeño, cuando había acompañado a su madre a un congreso en Montpellier.

—Siento por mi ciudad natal más o menos lo mismo que por nuestro México lindo y querido. Ambos son lugares interesantes, pero para vivir tanto el uno como el otro son igualmente infernales.

Charlie hubiese seguido toda la tarde escuchándoles hablar de esos lugares a cuyos nombres su imaginación ponía un halo mágico, pero tras terminar el helado que les había servido la tía de postre, Heriberto se despidió:

—Discúlpenme si parezco poco sociable, pero quiero aprovechar el tiempo al máximo y necesito trabajar con disciplina.

Se levantó de la mesa y subió a su ático, de donde bajó al cabo de un rato llevando una hamaca en un brazo y en el otro un fajo de folios. Se acomodó en el jardín, dispuesto a pasar la tarde revisando lo escrito la noche anterior.

Charlie empezó a recoger la mesa como solía hacer en su casa, pero la tía Irene no le dejó tocar ni un plato.

—Eres mi invitado. Relájate y disfruta de las vacaciones.

—Pero déjame ayudarte —protestó él—. Yo en casa hago todas las tareas para mi madre.

—Pues aquí no tienes que hacer nada. La intendencia doméstica es cosa mía.

Charlie se encogió de hombros y le dio las gracias.

—No hay nada que agradecer. Yo encantada de tenerte aquí disfrutando de tu compañía. A mí me gusta tener gente joven alrededor, pero tampoco quiero que por mí dejes de hacer las cosas que les gustan a los chicos de tu edad.

—Ya te digo que para mí la soledad no es ningún problema.

Charlie no mentía. La presencia de Heriberto y la belleza de aquel pueblo le habían hecho olvidar por completo las aprensiones por el lugar que había sentido antes de venir.

—¿No saliste anoche a la discoteca? —le preguntó ella.

—No, no me apetecía. No soy muy de discotecas yo —mintió él—. Además, estoy ahorrando para cuando me vaya de viaje este verano y ya me conviene quedarme en casa y no gastar demasiado.

—Pero debes salir y disfrutar, ¡un muchacho de tu edad! Si necesitas dinero, dímelo. Voy a decirle a Heriberto que vayan ustedes a cenar juntos un día. Tienen que conocerse. Son la única familia que les queda en el mundo y deberían hacerse amigos.

—Mejor no molestar a Heriberto —protestó Charlie—, ya ves que está muy ocupado con su libro y yo no quiero que se sienta obligado.

—Si no es hoy, será otro día, pero insisto en que salgan ustedes juntos. No quiero que te vayas de aquí dentro de un mes sintiéndose ustedes como extraños. Sería una pésima anfitriona.

—Como quieras, tía, pero yo estoy estupendamente. No te ofendas si digo que a mí ya me conviene estar así, independiente. No soportaría que estuvieran todo el rato pendientes de mí. Ya iré yo a la discoteca algún día por mi cuenta.

—Este no es el lugar más animado de la costa. A quien le guste el barullo, esto le debe parecer aburrido. Ya lo elegí yo precisamente por eso, porque a mi edad una no tiene ganas de ruidos, pero sí sé que hay muchos bares y dos discotecas que están abiertas hasta las tantas de la madrugada. Seguro que, aunque vayas tú solo, harás amigos fácilmente.

El sol había empezado a apretar y Charlie sintió ganas de bañarse en el mar. Subió a su cuarto a recoger las cosas de playa.

La cala nudista estaba deliciosamente vacía. Se habían ido las familias de franceses y alemanes ecologistas y sólo quedaban bañistas sueltos. En el chiringuito la camarera aprovechaba la tranquilidad para fumar un cigarrillo mirando al mar apoyada en la barandilla de la terraza.

Charlie extendió la toalla, se quitó la ropa y, tras embadurnarse de crema protectora por todo el cuerpo, se tumbó en la arena disfrutando del placer del sol calentándole las nalgas desnudas. Cerró los ojos y entró en un dulce trance mientras escuchaba de fondo el monótono ruido de las olas y las voces de conversaciones distantes.

Despertó agradablemente aturdido y con la menos grata sensación de haberse quemado la espalda. El sol había descendido y le había alcanzado la sombra del acantilado. Se vistió y regresó al pueblo.

Como siempre a esa hora, el paseo estaba muy animado. Las barcas de los pescadores regresaban un día más al puerto acompañadas de su séquito de ruidosas gaviotas. Charlie fue a recibirlas a la lonja, donde había un alegre ajetreo y un olor delicioso a mar. Estuvo observando con interés la subasta diaria de pescado y admirando el rostro curtido de los pescadores mientras levantaban cajas llenas de congrios, calamares y gambas que agonizaban entre cubitos de hielo.

En las callejuelas alrededor de la iglesia todas las ventanas y balcones estaban abiertos. En el aire flotaba el olor de apetitosos guisos y el rumor de televisiones encendidas. Sonaron las campanas de la iglesia y le llegaron las risas de un grupo de jóvenes que se embromaban sentados en los bancos de la plaza. Unas viejas enlutadas iban a misa.

Como aún quedaba media hora para la cena, continuó calle arriba hacia la cima de la colina que se alzaba detrás de la casa. Encendió un cigarrillo y se quedó contemplando las luces de la bahía, dejándose empapar por lo que Heriberto había llamado el día anterior «la magia de las cosas».

En la casa, la tía Irene estaba ya enfrascada en sus preparativos culinarios. Él subió a darse una ducha y, al desnudarse frente al espejo del cuarto, se quedó admirando una vez más su cuerpo. Había heredado el cabello rojo de su padre pero tenía la piel tostada de su madre y, si se protegía adecuadamente, lograba un bonito color.

La cena trascurrió muy animadamente. Heriberto les hizo reír con anécdotas curiosas que había descubierto en sus investigaciones sobre Dalí. Se mostró genial y divertido hasta que, tras consultar su reloj, decidió que era ya hora de subir a su cuarto a seguir con su labor.

Cuando la tía se fue a jugar su partida a casa de la vecina, Charlie decidió salir a vagabundear por el pueblo. Volvió inevitablemente al paseo marítimo, recorriéndolo de un lado a otro, observando la vida del pueblo mientras iba pensando en cómo lograr que Heriberto se interesase más por él.

Aunque el día se le había pasado de forma agradable, no había hecho ningún progreso en su plan de seducción. Heriberto se mostraba simpático pero no había ningún signo de que correspondiera al deseo que Charlie sentía por él.

Finalmente, se encontró de nuevo en el acantilado sobre la cala nudista. Los bañistas se habían ido ya pero había parejas y pequeños grupos sentados en corros admirando los últimos coletazos de la puesta de sol. Bajó al bar, donde había un nuevo camarero, un chico delgado y atractivo que tendría pocos años más que Charlie. Se pidió una cerveza y se sentó a observar las pandillas que bebían y fumaban charlando entre ellos.

Sentado en un taburete en la barra, un hombre de más edad que el resto de los clientes fumaba un puro con fruición mientras hablaba con el camarero. El sexto sentido de Charlie se activó de nuevo y tuvo la impresión de que había algo «raro» entre aquellos dos. Recordó haber leído en alguna parte que al menos un cinco por ciento de la población era homosexual y se preguntó si aquellos dos, junto con él mismo y el primo Heriberto, formaban parte del cinco por ciento correspondiente a aquel lugar. Calculó que entre nativos y veraneantes debería de haber unos veinte mil habitantes en aquel pueblo, lo que suponía que había unos mil homosexuales recorriendo las calles y tumbados en las playas. Le parecieron muchísimos y pensó que, o su sexto sentido no era tan eficaz como pensaba, o aquel pueblo había cedido su cinco por ciento a otro lugar donde existiese una atmósfera más acorde con esa orientación sexual.

Cuando se terminó la cerveza, cansado de estar allí sentado solo, regresó a casa y se durmió arropado por los grillos y las voces que le llegaban desde los jardines contiguos.

Capítulo 6

Una simpática velada

Charlie pensó que, viviendo bajo el mismo techo, no le faltarían oportunidades para desplegar una campaña de seducción de Heriberto y ganarse gradualmente su amistad. Sin embargo, su primo resultó ser más esquivo de lo que había esperado. Seguía unos ritmos propios y no era fácil coincidir con él.

Para aprovechar las horas más frescas, escribía durante la noche y luego dormía prácticamente hasta la hora de comer. Cuando el calor bajaba un poco al caer la tarde, salía a hacer ejercicio y no regresaba hasta poco antes de la cena. Charlie intentó varias veces acompañarle en aquellas carreras vespertinas, pero Heriberto no lo hacía a una hora fija y al final siempre había terminado escabulléndosele.

La rutina doméstica de la casa giraba alrededor de las horas de las comidas, las únicas ocasiones en las que se reunían sus tres ocupantes, como huéspedes en una pensión. La tía Irene era una excelente cocinera y les ofrecía deliciosos platos marineros que Charlie aprendió a saborear tanto como la charla que tenía lugar durante aquellas reuniones de sobremesa.

Por las mañanas, mientras el primo dormía, él iba a la playa y no volvía hasta la hora del almuerzo, que era siempre muy tarde. Después, leía un rato, se echaba una siesta en la terraza o vagabundeaba por los alrededores del pueblo hasta la hora de la cena.

Una noche, la vecina con la que la tía Irene jugaba sus partidas de cartas les invitó a una cena formal.

Al bajar al salón, Charlie se encontró con el primo Heriberto y la tía Irene arreglados y perfumados como para una boda. Heriberto parecía un antiguo hacendado cubano: pantalón de lino color crudo, camisa blanca y brillantina en el pelo. Ella iba también de blanco, con vestido de gasa estilo ibicenco lleno de volantes y bordados. Llevaba muchas pulseras y anillos de oro, y se cubría los hombros con un chal fino a juego con las tiras color lila de las sandalias que se le enredaban por los tobillos como cepas en torno a una columna barroca.

No le habían dicho que había que ponerse guapo para la cena con la vecina y, a su lado, se sintió como un mendigo.

—¡Qué elegantes! —exclamó.

Aunque, por más que hubiese querido, él no hubiera podido acicalarse mucho, pues sólo se había traído ropa deportiva, de haberlo sabido hubiera hecho un mayor esfuerzo. Se habría engominado el pelo, por ejemplo, y le habría pedido prestada una camisa a Heriberto.

—Allá en México siempre nos arreglamos cuando nos invitan a cenar —dijo Heriberto—. En Europa ustedes son más informales. Seguro que la señora Sardá nos recibe en zapatillas y bata —le confortó Heriberto al verle un poco afligido.

—No te preocupes —dijo la tía Irene cogiendo del brazo a su hijo y saliendo ya de la casa—. La señora Sardá no se va a fijar en lo que tú lleves puesto. A ustedes los jóvenes se les disculpa todo.

Pero a Charlie le martirizó sentirse tan discorde. Pensó que, si a la señora Sardá no le importaba lo que él llevase o dejase de llevar, era porque le consideraba un crío. Aún peor, tuvo la certeza de que Heriberto, tan elegante, compartiría la opinión de la señora Sardá de que a *los jóvenes se les perdona todo*, y le dio rabia sentirse distinto.

Antes de llamar a la puerta de la casa de al lado, se detuvieron en mitad de la calle admirando la luna que se alzaba enorme por encima de la colina.

—Caray, ¡qué grande se ve! Está llena ¿no? —comentó Charlie.

—Casi. Mañana lo estará del todo —explicó Heriberto—. Se ve grande por un efecto óptico.

—¡Qué linda! —suspiró la tía Irene continuando hasta la puerta de la vecina.

La señora Sardá les recibió elegantemente vestida y no con las zapatillas de estar por casa que Heriberto había sugerido.

Les hizo pasar a un salón al que se accedía bajando unos escalones desde la planta baja y donde había unos butacones confortables frente a una chimenea de diseño funcional. La casa parecía sacada de una de las revistas de decoración que se ven en los kioscos, todo muebles restaurados, cuadros antiguos, tapicerías caras y recuerdos de viajes dispuestos con gusto exquisito por estantes de roble y anaqueles de vidrio. En la pared lateral había un par de óleos de estilo impresionista y en el sitio de honor sobre la chimenea colgaban unas litografías de Dalí y Miró.

La anfitriona era una señora corpulenta. Llevaba los cabellos plateados recogidos en un moño tirante que le daba el aspecto severo de una directora de internado británico. A Charlie le pareció un espécimen perfecto de lo que solía llamarse una «fuerza viva». El tipo de mujer que uno imaginaba, en otros tiempos, reunida en una tertulia provinciana con el cura, el alcalde y el cacique local en el Centro Moral que Charlie había visto al llegar.

Se sentaron todos menos Heriberto, que se quedó de pie observando los cuadros de las paredes.

—¡Qué maravillas tiene usted aquí! —exclamó—. Eso debe de ser un Nonell y aquel jardín podría ser un Rusiñol, ¿o es tal vez un Casas?

—¡Oh, no! Son sólo copias —informó la señora Sardá—. Esta casa está cerrada la mayor parte del año y no me atrevería a tener nada tan valioso. Pero efectivamente, los originales son de Nonell y Rusiñol.

—¡Qué maravilla! Quien los haya copiado es un consumado artista.

—Sí, son muy buenas imitaciones ¿verdad? La artista que los copió es mi amiga Madeline, a quien van a tener el placer de conocer en un momento. Es una de las mejores copistas que hay en el mundo. Muchas obras que cuelgan en grandes casas de Barcelona son suyas. Me consta que a muchos de sus dueños les gusta hacerlas pasar por originales.

—Será un placer conocer a esta virtuosa —dijo Heriberto—, pero eso que tiene usted allí de Dalí y Miró sí son auténticas litografías firmadas y numeradas.

—Sí, esas sí lo son, pero no crea que son tan valiosas. La de Miró pertenece a una serie hecha con la plancha original y seriada, pero se hicieron muchas y no es en absoluto una pieza única. En cuanto a Dalí, ¿qué le voy a decir? Ya sé que usted está escribiendo sobre nuestro famoso bufón nacional. Ya sabrá, pues, que nada suyo después de cierta fecha tiene auténtico valor. Firmaba lienzos en blanco que luego imprimía su agente.

—Mmm... sí, pero aún así, deje que pase el tiempo y cualquier cosa que lleve la auténtica firma de Dalí se cotizará muchísimo, aunque sea un fraude. En cierta manera esa es la gracia de Dalí. Se anticipó a Warhol aprovechándose del esnobismo del mercado y el valor añadido.

—Mmm... ¿usted cree? Tal vez. ¿Tomarán *gin-tonics*?

La señora Sardá fue hacia un mueble bar que había en un rincón y sacó vasos, una cubitera y un plato con rodajas de limón.

—Mejor que cada uno se lo sirva a su gusto —dijo poniéndose ella uno muy largo de ginebra.

—Yo le encargué estas reproducciones a mi amiga —añadió, retomando el tema de las pinturas—, porque me gustan mucho los originales. Están en el Museo Nacional de Cataluña, pero pienso que su trabajo tiene un gran valor por sí mismo. Acérquense y fíjense en las pinceladas. Madeline ha pasado años perfeccionando la técnica. Se ha convertido en una consumada experta en pintura del siglo diecinueve. Le llueven ofertas de todo el mundo para que reproduzca cuadros impresionistas franceses, pero ella es muy meticulosa y sólo acepta encargos muy raramente.

—Una buena copia se vende por un precio exorbitante —dijo Heriberto.

—Cuando el cuadro original es inalcanzable, la copia le permite a uno, al menos, poder admirarlo en su propio salón —añadió la tía Irene.

La conversación derivó entonces a temas filosóficos sobre la posibilidad de ser auténticamente original. Charlie les escuchaba en silencio. Se sentía simple e inculto al lado de aquellos tres. Le gustaba el confort burgués de la casa y encontraba hermosas aquellas pinturas de vivos colores y pincelada deshecha, pero no hubiera sabido explicar la causa de aquella predilección. Heriberto, en cambio, emitía juicios con la desenvoltura de un experto. Sonreía y escuchaba con cortesía las explicaciones y opiniones de su madre y de la señora Sardá. Charlie no sabía si era realmente la persona inteligente y talentosa que él proyectaba o si en realidad no era más que un charlatán con un perfecto control de los resortes sociales, pero admiraba su gran encanto personal y su dominio de sí mismo. Bien se conformaría él con adquirir en el futuro la mitad del encanto y del saber estar que derrochaba su primo. Pensó que, si aquel conocimiento y aquella seguridad en uno mismo era la recompensa que se recibía con la edad, bien valía la pena perder la piel tersa y el cuerpo lozano de la juventud.

—Los *gin-tonics* de la señora Sardá son legendarios —le informó la tía Irene—. Aprécialos, porque no hay muchos como estos.

—Es muy refrescante —dijo Charlie, que no tenía la menor idea de cómo apreciar un *gin-tonic*.

—El secreto es el limón. Lo sacamos del limonero del jardín. Es lo que le da el gusto especial. Lo demás es Tanqueray, Schweppes y cubitos de agua mineral, claro. Eso es esencial para que el *gin-tonic* no tenga el sabor a cloro que tiene en muchos sitios.

Una mujer algo más joven que la señora Sardá apareció en ese momento en el salón. También iba muy elegante, vestida con un traje de tirantes de gasa negra. La señora Sardá la presentó como su amiga Madeline, la copista de obras maestras. Se saludaron estrechándose las manos y besándose ceremoniosamente. Al besarla en las mejillas y recibir la fragancia de su perfume, Charlie volvió a ser dolorosamente consciente de su tosco atuendo deportivo.

Madeline tenía arrugas en los bordes de los ojos, en el cuello y en las comisuras de los labios. En cambio, el pelo teñido de color negro ala de cuervo y severamente cortado en una media melena recta le daba un aire juvenil. A Charlie le pareció la mujer más distinguida que había visto nunca en persona. Parecía, como la casa en general, recién salida de una revista de moda y decoración o de una de las películas francesas de los años sesenta que le gustaba ver en la filmoteca.

Madeline les anunció que la cena estaba servida y les invitó a pasar a la terraza, donde, en una esquina iluminada por velas y la luz de aquella espléndida luna casi llena, había una mesa esmeradamente dispuesta.

Todo era muy hermoso y Charlie se imaginó transportado al mundo elegante y refinado de las novelas de Henry James o Marcel Proust. ¡Qué diferencia con el modesto piso de su madre!

La señora Sardá había pedido a una mujer del pueblo que les cocinase un *suquet* de pescado con patatas y salsa de romesco, y fue ella misma la que vino a servirles, equilibrando con su jovialidad el excesivo refinamiento de la escena.

—Ya verán qué rico es esto —les dijo antes de despedirse—. Se van a chupar los dedos.

—Hemos estado admirando su gran maestría pictórica —dijo Heriberto a Madeline, usando un léxico un poco relamido pero que a Charlie le pareció culto y sofisticado.

—¡Oh! Sólo soy una falsificadora —se burló ella.

Hablaba el español perfectamente, pero la pronunciación gutural de las erres traicionaba su origen francés.

—Ah, pero una buena falsificación no es fácil de hacer —dijo la tía Irene.

—Bueno, es cuestión de tener buen ojo y ser obsesiva. Yo me puedo pasar días trabajando en un pequeño detalle. En eso consiste todo mi mérito.

—¿No pinta nunca cosas originales? —preguntó Charlie, interviniendo por primera vez en la conversación.

—Ya podéis tutearme, si queréis —les dijo antes de responder que no, que ella era incapaz de crear nada original.

Charlie recordó que aquello era lo mismo que le había dicho Heriberto sobre su escritura el día en que se conocieron.

—Ya, pero ¿no pinta del natural?

—Nada. Nunca. Soy una nulidad. Lo mío es copiar de otros. Soy una parásita artística.

—Una parásita bien remunerada —apostilló la señora Sardá.

—Efectivamente, lo cual me convierte en la antiartista. Mercenaria y sin nada propio que decir.

A Charlie le hacía gracia el tono irreverente y la modestia de aquella mujer.

—Yo a veces pienso que la originalidad se ha vuelto un concepto sobrevalorado en estos días —dijo Heriberto, intentando ofrecerle a Madeline cierta integridad intelectual—. Al fin y al cabo, la historia del arte occidental ha estado siempre basada en la idea de imitación. Imitación de la naturaleza, pero también de las formas clásicas. Esto de la originalidad artística es un concepto burgués asociado al valor comercial y a la propiedad intelectual. Decía antes que eso es lo que Warhol destruyó, esa falacia del artista único y original.

—Bueno, tal vez. Yo de todas maneras no me lo tomo tan en serio, y por favor puedes tutearme, parecéis todos franceses, hablando tan formales. Para mí, ya digo, es una terapia que me sirve para dar rienda suelta a mi carácter obsesivo. Si luego gano dinero con ello, mejor que mejor.

—Nadie es puramente original —intervino la tía Irene—. Siempre aprendemos las cosas de alguien, imitando modelos, siguiendo los pasos de nuestros predecesores. Es lo que dijo Newton, ¿no?, aquello del hombro de los gigantes.

—Sí, pero eso no quiere decir que no exista el genio —dijo la señora Sardá—, aquel que crea y supera por completo a sus predecesores, marcando un nuevo camino, una nueva dirección. Es lo mismo en el arte como en cualquier otro aspecto de la sociedad. Siempre están los que innovan y los que siguen.

—Ah, pero todos son necesarios para la sociedad —comentó Heriberto.

—Por supuesto, pero es justo que se otorgue mayor gloria a los genios, porque ellos son los que hacen que avance el mundo. Por eso un énfasis excesivo en la igualdad social, como hacían los regímenes comunistas, estaba condenado al fracaso —dijo ella.

—Bueno, bueno, ya estamos metiéndonos en política —cortó Madeline—. Cambiemos de tema porque acabaremos discutiendo, y la noche es demasiado hermosa para estropearla con discusiones.

—Tú eres escritor, tengo entendido —preguntó Madeline a Heriberto.

—Sí, pero también tengo algo de parásito —bromeó él.

—¿En qué sentido?

—Oh, pues en el sentido de que no escribo nunca de la nada. Todo lo que hago es recopilar datos y ordenarlos. Soy una especie de computadora humana.

—No comprendo qué quieres decir.

—Quiero decir que me dedico a la biografía y al ensayo, pero no a la ficción.

—Ah, bueno. Pero el ensayo y la biografía son también una especie de ficción, ¿no?

—Veo que estás al corriente de las últimas tendencias —rió Heriberto—. Tal vez no haya tanta diferencia entre ficción y realidad después de todo, pero yo intento acercarme lo más que puedo a la verdad.

—¿Y crees que es posible alcanzar la verdad?

—Creo que, desde luego, el biógrafo, como el historiador, tiene la obligación de buscarla, huyendo de cualquier tentación subjetiva. —Continuaron hablando del trabajo de Heriberto. Él les dio cuenta detallada de sus investigaciones sobre Dalí. Luego pasaron a hablar sobre las diferencias entre Europa y los Estados Unidos y entre México y España. La señora Sardá y la tía Irene intercambiaron comentarios sobre la vida en España en los años cincuenta.

Charlie apenas participaba en la conversación. Sentía que cualquier cosa que él pudiera decir les resultaría poco interesante a aquellos comensales. Les escuchaba con atención, especialmente cuando hablaba Heriberto, quien, con su suave acento mexicano, le parecía un ser sofisticado y muy bien informado. Siempre sabía hacer un comentario oportuno, sagaz cuando se precisaba sagacidad, o gracioso si eso era lo que se requería.

Mientras mojaba las patatas en la salsa romesco y desmenuzaba el rape y los salmonetes del *suquet*, Charlie soñaba con volver ya de su viaje lleno de experiencias y sabiduría. Se imaginó ciudades y catedrales, pueblos, bares, trenes y campos. Tan absorto se quedó en sus pensamientos que dio un respingo cuando sintió el puntapié de Heriberto.

—Charlie, estás embobado. ¿En qué estás pensando?

Charlie se puso colorado.

—No, en nada, me había quedado en blanco mirando la claridad de la luna.

—La señora Sardá pregunta por tus estudios.

—Es un chico muy aplicado, según me ha contado su madre —terció la tía Irene—. Recién se sacó el bachillerato con sobresalientes en casi todas las asignaturas. Su madre está muy orgullosa.

La tía Irene había hecho esos elogios con la mejor intención del mundo, pero Charlie tuvo de nuevo esa impresión de que le trataban como a un niño.

—Entonces, imagino que irás a la universidad —dijo la anfitriona.

—Sí, me he matriculado en filología, aunque a mi madre le hubiese gustado que hubiese elegido algo más «práctico». Dice que estudiar literatura es algo anticuado y con muy pocas salidas profesionales.

—Bueno, supongo que lo importante es que le interese a uno lo que estudia —dijo ella.

—Sí, lo importante es aprender —convino la tía Irene—. Todo sirve para algo.

La señora Sardá asintió, aunque le dio la impresión a Charlie de que para ella estudiar filología era algo poco serio. Imaginó que, como su madre, valoraba más las carreras «prácticas», como derecho o medicina.

—Ahora todo el mundo estudia cosas prácticas —terció Madeline—, pero yo pienso que lo bueno era la educación antigua que nos daban en Francia en los *lycées*. Aprendíamos gramática, filosofía, retórica y otras cosas que no tenían una utilidad específica pero que servían para darle al alumno la capacidad de expresarse y de argumentar. ¿Qué puede haber más práctico que eso? Decidme una profesión donde no se necesite saber redactar y expresarse con precisión. Eso es lo que yo aprendí en la escuela y en la universidad: a redactar y a escribir y a hacerme entender con claridad. Eso es lo que estudiaban los griegos.

Fue el discurso más largo que había hecho Madeline desde que había cortado la diatriba política de la señora Sardá. Charlie había estado admirando la precisión con la que manejaba el cuchillo y el tenedor para pelar las gambas del *suquet* sin mancharse los dedos y la elegancia con la que «estaba» en la mesa sin necesidad de participar en la conversación general. Pensó que eso era sin duda algo que también le habían enseñado en esa escuela de la que hablaba.

—Tienes razón, querida —le dijo su amiga con un tono un tanto punzante—, pero hay muchas profesiones que realmente requieren conocimientos especializados. El mundo ha cambiado. La economía se ha hecho más compleja y se necesita algo más que una *finishing school*.

Madeline bebió un sorbo de su copa de vino y su única réplica consistió en enarcar ligeramente las cejas como si su razonamiento anterior le pareciese a ella tan obvio que no hiciese falta responder al argumento de su amiga.

Había algo extraño en la relación entre aquellas dos mujeres. Charlie recordó que Madeline era quien les había anunciado que la cena estaba lista, comportándose más como anfitriona que como invitada.

—Yo estoy de acuerdo con lo que dice Madeline —intervino Heriberto muy caballeresco—. Hoy en día, en México y en los Estados Unidos todo son «destrezas» y habilidades prácticas en las escuelas, pero luego los jóvenes salen de los *colleges* sin comprender un artículo de prensa, a no ser que sea uno de esos terribles diarios populares que tanto éxito tienen por todas partes.

—Yo el México de ahora ya no lo conozco —dijo la tía Irene—. Coyoacán ya no es lo que era. Antes ibas allí desde España y era como llegar a un lugar rico y civilizado, pero ahora está totalmente destrozado. Yo ya no voy más a México.

—El caos del país puede ser interesante —opinó Heriberto—, pero se ha convertido en un mundo sin ley que no tiene ningún futuro. Los políticos han ido haciéndolo cada vez más inhabitable.

Charlie volvió a quedarse callado. No sabía mucho sobre la situación política en México y no quería hablar por hablar.

Madeline se apiadó de él e intentó cambiar el curso de la conversación animándole a participar:

—¿Donde vives en Barcelona?

—En el centro, en la calle Pelayo.

—A mí me gusta mucho el centro, pero no podría vivir en él. Hay demasiado ruido y demasiados turistas. Es imposible. ¿No lo encuentras demasiado ruidoso? Nosotras vivimos en la calle Platón, cerca de la Vía Augusta.

Le sorprendió el uso del plural, pero no pensó automáticamente que Madeline quisiese decir que vivían juntas en la misma casa.

—¿Vives con tus padres?

—Vivo con mi madre. Mi padre murió hace tiempo.

—Oh, lo siento —se disculpó Madeline

—No importa. Hace mucho tiempo. En realidad nunca llegué a conocerle. Sólo le he visto en fotos.

Madeline le miró aún con mayor simpatía y cierta lástima que a Charlie le desagradó un poco, porque le pareció que, una vez más, le infantilizaba.

—Entonces, ¿el padre de Charlie es quien era tu hermano, Irene? —preguntó Madeline.

—Así es; en efecto, mi pobre hermano, murió en un accidente de tráfico cuando yo ya estaba en México con mi marido. Charlie no había nacido todavía. Fue muy traumático para todos. Imagínense que él era un hombre emprendedor con mucho futuro por delante y murió precisamente cuando se había empeñado hasta las cejas en un nuevo negocio. Todo lo que le dejó a mi cuñada fueron deudas.

—Debieron de ser tiempos muy difíciles para ella —dijo Madeline.

—Sí. Figúrate, una mujer con un niño por venir, que no podía trabajar ni nada... Por suerte, entonces se vendió la casa de mis padres y con el dinero que recibimos pudo comprar el pisito de la calle Pelayo, que también había pertenecido a nuestra familia.

Miró a Charlie y añadió dirigiéndose a él:

—No sé si te lo contó tu madre, pero fue mi marido quien prestó el dinero para pagar el piso en el que viven ustedes en tanto se resolvían los asuntos de la herencia.

Charlie se sentía incómodo hablando de su situación familiar entre desconocidos. Le parecía muy indiscreto que la tía Irene hablase en público de las cosas íntimas de su familia, especialmente de cosas que él ni siquiera sabía.

—¿A qué se dedica tu madre ahora? —le preguntó la señora Sardá.

—Es traductora y da clases en la universidad.

—¡Ah! —exclamó ella—, la traducción es un arte difícil. Se hacen muy malas traducciones hoy en día, particularmente de obras de literatura.

—Mi madre se ha especializado en traducciones técnicas, textos jurídicos y cosas así. Trabaja con abogados y también con algunas instituciones internacionales.

—¿Y qué lenguas traduce?

—La mayoría de las principales lenguas europeas, pero sobre todo el alemán.

—Ah, esa lengua magnífica y precisa con expresiones tan certeras. Debe de ser difícil traducirla.

—Los alemanes —dijo Heriberto—, mis europeos favoritos. Superficialmente parecen serios y trabajadores, pero luego, cuando se les conoce bien, resultan ser unos juerguistas de órdago.

—¿De verdad? —se sorprendió Madeline—. Yo en cambio siempre les he encontrado tan sosos e inflexibles como el arquetipo nos los describe. Disculpad, voy a servir café y los postres, si os parece —dijo levantándose de la mesa.

El primo Heriberto bromeó un poco más sobre la naturaleza de los estereotipos nacionales haciendo reír a todos con su caricatura de los mexicanos y de los neoyorquinos.

Madeline reapareció al poco con una bandeja de pasteles y luego con otra de licores, y se encargó de servirles té y café. Hacía muchísimo calor, y estuvieron sentados tranquilamente escuchando los grillos.

—Me encanta este ruido. Me llena de una sensación de paz —dijo Madeline.

—Sí, hace una noche realmente mágica —replicó la tía Irene.

—¿Cuánto tiempo vas a quedarte aquí? —le preguntó Heriberto a Madeline.

—Desgraciadamente no puedo quedarme mucho, porque pronto salgo para la India.

—Ah, qué interesante. ¿Es la primera visita?

—*Ah, non*, voy cada año a meditar a un monasterio budista en Darjeeling. ¿Conoces tú la India?

—Estuve hace muchos años recorriendo el país.

—Mi hijo ha estado en todas partes —dijo la tía Irene.

—Viajar es la mejor manera de recibir una educación. Eso sí que debería ser obligatorio y subvencionado por el Gobierno para todos los jóvenes —comentó Madeline.

—Sería una educación cara —rió la dueña de la casa.

—No creo que más de lo que cuesta pagar a los profesores durante un año y, total, ¡para lo que aprenden los jóvenes de hoy en la escuela!

—Veo que hoy estás en contra de la educación moderna —le dijo su amiga.

—Sería una idea interesante —intercedió Heriberto—. Valdría la pena considerarla seriamente, aunque efectivamente un poco cara para el contribuyente.

—Eso es a lo que se dedica Angélica —dijo Madeline un poco desdeñosa, refiriéndose a la señora Sardá.

Charlie era la primera vez que oía su nombre de pila y le pareció muy poco apropiado. Diabólica más que angélica era como le parecía a él aquella señorona de moño tieso y modales anticuados.

—¿A qué se dedica usted? —preguntó cortésmente el primo Heriberto.

—Soy funcionaria del Gobierno autonómico en Barcelona.

—Ay, pero no cualquier funcionaria —cortó la tía Irene—. Angélica es prácticamente la que le lleva los asuntos al *President*.

—No exageres, Irene. En realidad no soy más que una vulgar contable.

—Bueno, no te quites méritos. Si no fuera por ti, los consejeros gastarían sin control y todos pagaríamos más impuestos.

—¡Je, Je! —sonrió satisfecha la señora Sardá—. Sí que es cierto que a algunos habría que atarles las manos, porque se creen que las arcas del Estado no tienen fondo, especialmente estos arribistas que tenemos ahora.

—Parece un trabajo muy serio —dijo Heriberto.

—Bueno, alguien tiene que hacerlo.

—¿Y cuál es su cargo, exactamente?

—Soy sólo una funcionaria del Departamento de Finanzas.

—Y Angélica es tan buena en su trabajo que ni siquiera cuando cambió el Gobierno se atrevieron a apartarla de su puesto. Saben que sin ella los números no cuadrarían nunca.

—Bueno, todos saben que yo no me meto en política. Me limito a gestionar y a aconsejar, pero no crean, algunos de los nuevos consejeros me la tienen jurada. No les gusta que les corte las alas. Si no fuera porque ya me jubilo este año, seguro que me habrían largado.

—Ah, se jubila usted.

—Sí, estoy cansada y así tendremos más tiempo para venir aquí. —Fue entonces cuando Charlie cayó en la cuenta de que ese *tendremos* incluía a Madeline, lo que significaba que entre las dos mujeres había una relación más estrecha que una simple amistad.

En ese momento se oyó el ruido de la campanilla de la puerta, y las dos mujeres, Madeline y su amiga, intercambiaron miradas inquisitivas.

—Será mi sobrina, que viene a tomar café —dijo la señora Sardá.

Madeline entró en la casa y regresó con dos jóvenes que Charlie identificó inmediatamente: eran las dos chicas que le habían abordado en la terraza del chiringuito. Mimí también le reconoció.

—Ya nos conocemos —dijo cuando la señora Sardá hacía las presentaciones.

—¿Ah, sí? —preguntó la tía Irene—. ¿Ya se conocieron ustedes?

—Le vimos un día en el chiringuito de la cala —contestó Mimí—. *Tu te rappelles, Virginie?*

—Ah, estupendo —dijo la tía Irene—. Le hablé de ti a mi sobrino y quería que se conociesen ustedes para que le saques por la noche. Él dice que no le gusta salir, pero estoy segura de que con ustedes se animará.

—Mi sobrina Miriam desde luego que sabe divertirse —dijo la señora Sardá—. Incluso demasiado. Su capacidad de diversión es bien conocida en este pueblo.

—Vaya —protestó Mimí—. Ya te han estado otra vez contando chismes. No sé por qué prestas atención a los cotilleos de los del pueblo.

—Miriam, tienes que comprender que, a pesar de los extranjeros que vienen en verano, este es un pueblo pequeño donde se conoce todo el mundo. Y a ti no se te considera una veraneante, así que te exigen un comportamiento más riguroso que el de las holandesas que vienen a pasar unos días de desenfreno.

—Lo que pasa es que son unos cotillas y unos envidiosos.

—Bueno, bueno, Miriam. Tú intenta no aparecer en situación comprometida con un pescador del pueblo en la plaza Mayor a las cuatro de la mañana, y seguro que no habrá habladurías.

Mimí sonrió y se encogió de hombros. Se sirvió una copa de vino del que quedaba en la mesa. La explosión de un petardo interrumpió lo que iba a decir.

—Son las fiestas que empiezan hoy. Virginie y yo vamos a ir al baile del paseo marítimo. ¿Por qué no os venís todos?

Acordaron bajar todos a pasear y disfrutar del ambiente festivo.

—Ya verás qué animación hay aquí en las fiestas —dijo la tía Irene a su hijo.

Se quedaron en silencio escuchando una música lejana que llegaba distante hasta la terraza. El calor parecía haber arreciado. Era un calor húmedo y pegajoso y la señora Sardá dijo que tal vez sí les convendría a todos ir hasta el mar y ver si se refrescaban un poco.

—Esta noche promete ser la más calurosa del verano.

—Me encanta —dijo Mimí.

Salieron todos al frescor de la calle y descendieron por el laberinto de callejuelas a la plaza de la iglesia y de ahí al paseo marítimo.

Capítulo 7

Noche de fiesta

Bajaron en comitiva hacia el Paseo. Al frente, Mimí y Virginie iban charlando en francés, la tía Irene y la señora Sardá las seguían cogidas del brazo en silencio. Heriberto, Madeline y Charlie iban detrás. Madeline les explicaba que las fiestas eran en honor de la virgen patrona de los pescadores.

—Antiguamente era una fiesta religiosa en la que se pedía pesca abundante y protección contra los temporales, pero hoy en día es esencialmente una excusa para entretener a los veraneantes.

—Ha perdido su antiguo significado, pues —comentó Heriberto.

—Todavía se celebra la procesión marítima y hay misa en la iglesia, pero lo que realmente cuenta es la juerga general que se arma.

Dándole la razón estaban los niños que correteaban excitados, tirando petardos por el paseo marítimo.

—Como ves, estos diablillos no están aquí por ninguna causa piadosa —rió Madeline.

En el baluarte que había frente al Café de la Marina se encontraron a Gertrudis, la cocinera que les había preparado el *suquet*, que sonrió complacida cuando todos celebraron y agradecieron sus dotes culinarias. Les explicó que los fuegos artificiales empezarían después de la procesión marítima, alrededor de la medianoche.

—Este año van a ser los mejores. El Ayuntamiento se ha gastado muchos *cuartos*.

Gertrudis se despidió animándoles a ir al baile de la plaza del Ayuntamiento, pero la idea no fue recibida con mucho entusiasmo. Se sentaron en un banco del Paseo y estuvieron un rato viendo la procesión de las barcas de los pescadores adornadas con guirnaldas de luces.

Al cabo de un rato las mujeres mayores se cansaron. La señora Sardá dijo que ella ya había visto la fiesta muchas veces y que el calor y los petardos la dejaban exhausta. Prefería ver los fuegos artificiales cómodamente desde su terraza.

Madeline tampoco quiso quedarse:

—Yo detesto los petardos, y estos muchachos son como perros que huelen el miedo. Ya me los conozco yo.

La tía Irene reconoció que a ella los petardos también la ponían nerviosa y decidió volver con ellas. Heriberto consultó su reloj y estaba a punto de unirse a ellas cuando su madre insistió en que los *jóvenes*, entre los que le incluía a él, se quedasen a disfrutar de la fiesta.

—Te sentará bien salir un rato y airearte —le dijo—. Ve con Charlie a ver el ambiente.

—Charlie puede ir con las chicas —sugirió Madeline, señalando con un movimiento de cabeza a Mimí y Virginie, que se habían quedado rezagadas charlando con unos muchachos—. Seguro que ellas sabrán llevarte adonde esté la juerga —añadió dirigiéndose a Charlie, que puso cara de no entusiasmarle mucho la idea de unirse a aquel grupo.

—Bueno —dijo Heriberto, comprendiendo aquella expresión de su primo—. Vamos a estirar las piernas un rato.

—Sí, sí —les animó la tía Irene—. Ya verán qué vistoso es todo esto de las fiestas. Nosotras ya lo hemos visto antes, pero sería una pena que ustedes se perdieran la diversión.

Virginie y Mimí anunciaron que sus amigos holandeses las habían invitado a ver los fuegos artificiales desde su casa.

—¿Te vienes? —dijo Mimí invitando a Charlie.

Este miró a Heriberto y, viendo que le hacía un guiño cómplice, declinó la invitación.

—Voy con Heriberto a pasear. Lo prefiero a encerrarme en una casa.

—Como quieras —contestó ella—. Luego iremos al chiringuito de la cala. Nos vemos allí más tarde si quieres, ¿vale?

Charlie asintió sin comprometerse a nada.

—Portaos bien, niñas —les suplicó la señora Sardá con su tono de directora de escuela, al comprobar que ellas eran las únicas chicas del grupo—. Recordad que en este pueblo las paredes tienen ojos y oídos.

—¡Pues que lo disfruten! —gritó Mimí apresurándose para alcanzar a Virginie, que ya iba calle abajo con el grupo de muchachos de largas melenas y bermudas surfistas.

Las tres mujeres desaparecieron por la callejuela que subía hacia la plaza de la iglesia, y Charlie se encontró a solas por primera vez con Heriberto.

—Gracias por salvarme del compromiso. No me apetecía ir con ellas.

—Eso me ha parecido.

Charlie le sonrió agradecido.

Caminaron sin hablar por las calles abarrotadas de gente. El pueblo entero estaba vestido de fiesta, con banderolas y luces de colores colgando de las farolas del paseo, a lo largo del cual había puestos de comida que servían butifarras y sardinas asadas. Un olor a fritanga impregnaba el aire. También había algunos tenderetes donde unos hippies vendían pendientes y pulseras de artesanía sudamericana. Sobre la arena de la playa había instaladas atracciones de feria que brillaban con luces multicolores. Desde la caseta de una tómbola, un animador incitaba micrófono en mano a comprar boletos para ganar gigantescos muñecos de peluche.

Todo esto observaba Charlie mientras caminaban entre el gentío. Heriberto iba en silencio, andando con paso firme e ignorándole por completo.

En la explanada del Ayuntamiento había corros bailando la danza regional, y se quedaron de pie observando todo el alboroto. Había gente sentada en las puertas de las casas y pandillas de jóvenes bebidos que ligaban con las chicas diciendo las sosadas propias de su edad.

Charlie les observaba despectivo, sintiéndose mayor y diferente junto a la figura elegante de Heriberto, que miraba a la gente sin prestar mucha atención, absorto en sus propias cavilaciones. Charlie se preguntó en qué estaría pensando. Deseaba a toda costa aprovechar la ocasión que se le brindaba para ganarse la confianza del escurridizo objeto de su deseo.

El silencio de Heriberto le parecía un reproche del primo por haberle forzado a ese inoportuno vagabundeo. Pensó que había aceptado pasear con él solamente por la insistencia de la tía Irene y le imaginaba impaciente por continuar su trabajo. Él, en cambio, estaba encantado. Lo que le preocupaba era echar a perder aquella oportunidad y se devanaba los sesos intentando encontrar algo original con lo que sacar a Heriberto de su ensimismamiento, pero el ruidoso ajetreo de la plaza y el nerviosismo que iba acumulando a medida que se alargaba aquel silencio le tenían la mente bloqueada.

Esperaba que fuese el primo quien saliese finalmente de su mutismo, pero pasaba el tiempo y Heriberto continuaba absorto. Charlie se hubiera contentado con la mera proximidad de Heriberto, que era ciertamente mucho más de lo que había disfrutado desde su llegada, pero le mortificaba el recuerdo de la facilidad que Heriberto había demostrado aquella noche para dar conversación y crear ambiente en la cena en casa de la señora Sardá. Aquel mezquino silencio no se debía por tanto a un rasgo del carácter reservado del primo. Era evidente para Charlie, de pie junto a Heriberto mirando las danzas regionales en la plaza, que de haberlo querido su primo hubiera iniciado una conversación.

—Las fiestas mayores de pueblo son una tradición muy española —dijo Charlie por fin—. Casi siempre coinciden con el verano —añadió—. En Estados Unidos no hay este tipo de fiestas, ¿verdad?

Lo dijo al buen tuntún, sin haber pensado en lo que decía. Su único interés al pronunciar esas palabras había sido incitar a Heriberto a decir cualquier cosa. Por eso respiró aliviado cuando su primo contestó inmediatamente, como si esa hubiera sido precisamente la cadena de pensamientos que él había estado siguiendo durante todo ese tiempo.

—Sí que las hay, como en todas partes. En los estados del sur se celebran rodeos y otros festivales agrícolas —contestó Heriberto con tono didáctico—. Se cantan canciones *country* y se organizan bailes. Viene a ser lo mismo, y en Nueva York cada comunidad tiene sus propias fiestas. Hay desfiles y cabalgatas para celebrar el día de San Patricio, el año nuevo chino y muchas otras ocasiones, como el famoso Día de Acción de Gracias.

Charlie notó cierta irritación en la respuesta de Heriberto, como si encontrase enojosa la simpleza de aquel comentario, pero no le importó, aliviado como estaba por haber logrado poner fin al maleficio que parecía haber caído sobre ellos desde que se habían quedado solos.

—Pero, en general —añadió Heriberto condescendiente—, sí que es cierto que las fiestas allá no tienen el encanto y la sensualidad de estas fiestas mediterráneas de ustedes.

—Pues a mí me resultan un poco cargantes las fiestas de pueblo.

—¿Por qué?

—No sé. No soporto la alegría forzada... ese... no sé... como «qué bien nos llevamos todos por un día», aunque después nos despellejemos cada día los unos a los otros... y los bailes regionales me parecen estúpidos y anticuados.

—A mí estas fiestas me parecen algo muy positivo —dijo Heriberto—. Precisamente, lo que tienen de interés es que unen a la gente que no se habla durante el año. Así se estrechan lazos en la comunidad. Antes se venía a buscar pareja. Además, el baile iguala a todos, pobres y ricos, jóvenes y viejos.

Charlie se sintió como cogido en falta. Había intentado impresionar a Heriberto diciendo algo epatante, y rebelde y la respuesta del primo, tan razonable, le descolocó. Estaba acostumbrado a conversar con Albert y Sabir, que siempre estaban de acuerdo con él y nunca se tomaban nada demasiado en serio. La respuesta de Heriberto mostraba una profundidad de pensamiento que contrastaba con su frívola superficialidad. Se sintió estúpido y pensó que sin duda así le consideraría Heriberto: un necio, dominado por estereotipos y pensamientos a medio hilvanar.

Continuaron observando en silencio los bailes regionales. Era cierto que Charlie siempre los había detestado. En el instituto se burlaban de unos compañeros que iban los domingos a bailar sardanas a la plaza de la Catedral. Recordó un poema de Joan Maragall que había aprendido en la escuela y que le parecía insoportablemente cursi: «*La sardana és la dansa més bella / de totes les danses que es fan i es desfan / és la dansa sencera d'un poble / que estima i avança donant-se les mans*».

Mientras veía los corros girar, pensó que eso era lo que había querido decir el primo Heriberto, y por primera vez comprendió el sentido de aquellos versos tan ramplones. No obstante, seguía encontrando horrorosos tanto el baile como los versos, y estuvo pensando en cómo explicarle a Heriberto su odio a lo folclórico y a ese sentimiento de pertenencia a una comunidad que le resultaba tan antipático. El quería todo lo contrario: escapar, romper ataduras nacionales, perderse en el ancho mundo. Pero no encontró palabras para expresarse y, temeroso de caer de nuevo en un silencio insoportable, decidió continuar por caminos menos complicados.

—¿Te gusta Nueva York? —preguntó, agarrándose al tema de las relaciones internacionales y las diferencias culturales, que tan socorrido les había resultado en las comidas y almuerzos familiares.

—Sí, todo lo que hayas oído hablar de ella es verdad. Lo de las veinticuatro horas y todo eso de que, literalmente, el mundo entero está en esa ciudad; pero, si te digo la verdad, últimamente sufro un poco de fatiga neoyorquina.

—Ah, ¿y eso por qué?

—Demasiada gente, demasiado trabajo, demasiado de todo. Es un lugar excesivo. Es para jóvenes y gente ambiciosa con ganas de vivir rápido, y yo ya empiezo a estar demasiado mayor, supongo. Lo que antes me atraía de la ciudad, los clubes, los restaurantes, el desorden... cada vez me atrae menos. Ahora ya tengo ganas de retirarme, como mi mamá, a un lugar tranquilo como este para disfrutar de la soledad. Ya ves, tal vez me venga aquí bien pronto.

Charlie pensó en lo mucho que le gustaría tener a Heriberto cerca para observarle y aprender de él.

—A mí me pasa lo contrario —le dijo—. Yo tengo ganas de conocer el mundo. Hasta Barcelona se me hace pequeña. Me encantaría vivir en Nueva York, al menos por un tiempo.

—Bueno, es normal querer salir del terruño a tu edad, pero no debes convertirte en uno de esos esnobs que están siempre menospreciando su lugar de origen. Nueva York está lleno de latinoamericanos fastidiosos que se pasan el día lamentándose de lo provinciano que es Lima o Caracas. En mi opinión, lo que es provinciano es esa admiración ciega por lo extranjero, dando por sentado que es siempre mejor que lo propio.

A Charlie le irritó de nuevo el tono condescendiente que usaba Heriberto. Suponía que le encontraba terriblemente soso y se vio de nuevo luchando mentalmente por hacer alguna observación que mostrara a Heriberto que, a pesar de su juventud, él era algo más que el majadero que Heriberto suponía.

Tenía que admitir, no obstante, que Heriberto había puesto el dedo en la llaga. Se reconoció a sí mismo en aquella descripción que el primo había hecho de los latinos desganados de Nueva York. Eso era exactamente lo que él había sentido al escuchar a Heriberto hablar de aquella ciudad que se le aparecía en su imaginación como la auténtica capital del mundo y el rompeolas de todas las vanguardias.

Una vez más, se sintió frustrado por su incapacidad para resultar brillante y original. La conversación parecía haber llegado a un punto muerto cuando terminó el baile y los corros se deshicieron. Un maestro de ceremonias les anunció que los fuegos artificiales comenzarían en cinco minutos, y la gente se dispersó hacia el puerto deportivo, desde donde iban a dispararse los cohetes.

Los altavoces empezaron a emitir música enlatada mientras los técnicos de sonido y sus ayudantes subían a la tarima de la orquesta y empezaban a preparar el concierto de la orquestina que iba a amenizar el baile propiamente dicho. Charlie miraba todo con ojos críticos, deplorando el terrible carácter pueblerino de todo aquello.

Heriberto sugirió subir al mirador de la playa nudista para tener una mejor vista de los fuegos. Hacia allí se encaminaron envueltos de nuevo en aquel incómodo silencio, intensificado ahora por la falta de ruido ambiental a medida que se alejaban del centro, subiendo la cuesta que llevaba a la cima del acantilado.

Una vez allí, se detuvieron mirando el mar oscuro, iluminado ocasionalmente por el destello del faro y las luces de los pueblos que había al otro lado de la bahía. Las barcas estaban ya regresando al puerto. Las guirnaldas de lucecitas con las que estaban decoradas brillaban en la oscuridad reflejándose en la superficie plácida del agua. La figura de la Virgen iba en la primera barca, y detrás seguían las demás. Al entrar en la dársena, todas las embarcaciones hicieron sonar las sirenas y la noche se llenó con su triste lamento.

Heriberto se acodó en la barandilla del acantilado para observar la procesión. Había algo espectral en aquella imagen.

Las sirenas aguijonearon la imaginación de Charlie, que miraba a la vez el desfile y el trasero de Heriberto inclinado sobre la barandilla. La línea del slip se le marcaba bajo el pantalón de lino blanco, despertándole un deseo de abrazarle y frotarse contra él como en una película pornográfica. Imaginó el tacto de la tela rugosa del lino, sintiendo el placer de abarcar con sus brazos la cintura que se adivinaba bajo los faldones de la camisa.

No obstante, el humor taciturno de Heriberto aquella noche no le resultaba muy alentador. Charlie temía la humillación de verse rechazado y quedar como un idiota, así que se contuvo, sintiendo cómo le venía una embarazosa erección por debajo de las bermudas. El cortejo atracó en el muelle de los pescadores entre los aplausos de la gente. El primo Heriberto se volvió y le sonrió:

—¿Bonito, no?

Charlie asintió devolviéndole la sonrisa. Notaba todavía la erección apretándole el calzoncillo. Se sentía a la vez frustrado por su falta de iniciativa y aliviado por haberse evitado una situación embarazosa. Sin embargo, pensaba que aquel lugar y aquel momento, bajo la romántica influencia de la luna, habría sido la ocasión perfecta para armarse de valor y pasar al ataque. La cabeza le daba vueltas considerando la manera en la que iba a dar el paso de «declarársele» a Heriberto. Imaginó lo que haría Albert en esa situación, la forma natural en la que lograría comunicar de alguna manera sus intenciones. Pensó lanzarse sin más, agarrarle por la cintura, sentir su erección rozando el lino del pantalón, sus dedos abriéndose camino por la bragueta, palpando el pene de Heriberto.

De pronto, explotó el primer cohete del espectáculo pirotécnico que habían empezado a lanzar desde el puerto.

—¡Hey, qué lindo se vio eso! —dijo Heriberto, volviéndose y sonriéndole otra vez.

Charlie asintió de nuevo y se vio frenado por el miedo al fracaso.

Durante los siguientes quince minutos no volvieron a hablarse. De tanto en tanto lanzaban exclamaciones cada vez que un nuevo artefacto pirotécnico les asombraba con su luminosa descarga. Los ojos de Charlie iban de aquel despliegue de luz al rostro de Heriberto, que se iluminaba con ellos haciendo brillar las gotas de sudor que el calor le hacía resbalar por la frente. Permaneció admirándole en secreto, deseando poder besar aquellos labios y fundirse en un abrazo, sintiendo la vigorosa energía que exudaba Heriberto. La traca final les dejó deslumbrados. Se oyeron aplausos y bullas. Charlie sintió que el momento de hacer una locura había pasado. La erección se había desvanecido y su mente abandonó aquel estado febril, recuperando una juiciosa serenidad.

—Si quieres volvemos a casa —le sugirió, viéndose sin ánimos de seguir con el embarazoso mutismo de antes, forzando a Heriberto a tener que entretenerle.

Pero Heriberto se había animado con los fuegos artificiales y sorprendió a Charlie sugiriendo bajar a la playa para tomar algo en el chiringuito.

—¿No quieres escribir esta noche? —le preguntó Charlie, dándole la oportunidad de retractarse de la invitación si, como él se imaginaba, la había hecho puramente por cortesía.

—Sí, pero hace demasiado calor. Mejor espero. Vamos a refrescarnos con la brisa del mar.

—Te has quedado muy pensativo después de la cena —se atrevió a decir Charlie cuando ya bajaban los escalones de roca—. Pensé que estabas enfadado por no poder escribir.

—No, en absoluto. Sólo que el bullicio me aturdió un poco. Demasiado vino y demasiada conversación social también. A veces me cansa. Llevo un mes aquí evitando las invitaciones de mi madre, que me quiere exhibir con sus amigas como si fuese yo una joya recién adquirida.

—Es normal que esté orgullosa de ti —dijo Charlie—. Yo he estado toda la noche admirando tu habilidad para dominar la conversación. Serías un relaciones públicas estupendo.

Heriberto rió.

—Y sin embargo, yo odio «dar conversación». No hice más que decir pendejadas para gustar a esa vieja trucha amiga de mi madre y su extraña compañera.

Charlie se sorprendió de ese repentino desprecio por las anfitrionas de la cena.

—A mí me ha parecido una cena fantástica, y la señora Sardá y su amiga muy interesantes. Tú la verdad es que has estado estupendo con ellas. No había notado que no te cayesen bien.

—No, si no es que no me caigan bien, pero es que en estas cenas siempre se termina por decir simplezas. Es un latazo.

—Pero no eran simplezas. Todos decíais muchas cosas interesantes, ¿no?

Charlie se sentía de nuevo inmaduro por haber admirado la sofisticación y el tono elevado de una conversación de sobremesa que a Heriberto le había resultado superficial. Imaginó que él estaría acostumbrado a tratar con personas auténticamente inteligentes: artistas, filósofos y gente así. Al lado de ellos, la señora Sardá y Madeline no eran más que un par de burguesas provincianas.

Habían llegado al bar y se sentaron en una mesa libre de un rincón de la terraza. Estaba lleno de pandillas de jóvenes. Había principalmente grupos de holandeses, franceses o alemanes vestidos a la moda windsurfista o skateboarder. Muchos fumaban canutos y el olor a hachís y marihuana flotaba por el aire de la terraza.

—Cuéntame más cosas de tu vida —dijo Charlie envalentonado por la actitud más comunicativa de Heriberto.

—¿Qué quieres que te cuente? —rió Heriberto.

—No sé. Cuéntame cómo era tu vida cuando tenías mi edad —le pidió con un tono juguetón, como queriendo quitar importancia a la pregunta.

—¿A los dieciocho años? ¡Huy! No sé si me acuerdo ya.

—¿Sentiste algo especial al ser mayor de edad?

—Bueno, es que en Los Ángeles no se es mayor de edad hasta los veintiuno. Así que los dieciocho años no significaban nada especial para mí.

Heriberto habló con desgana, pero Charlie no se dejó arredrar por ello.

—¿A qué edad te fuiste de casa de tus padres?

—A los veintiuno —dijo sin dudar.

—¡Vaya, te faltó tiempo nada más cumplir la mayoría de edad!

—Sí, ya no podía aguantar más al viejo —confesó Heriberto—. ¿Y tú? ¿Cómo te sientes ahora que ya puedes manejar un carro, votar, y todo eso?

—Bueno, la verdad es que todavía no lo he pensado. Antes cuando era más pequeño sí que me hacía ilusión, pero ahora no es nada especial para mí. Algunos compañeros del instituto sí que estaban ansiosos, porque se llevan mal con sus padres o porque querían empezar a trabajar, pero como yo estoy bien en casa, pues no siento esa urgencia.

—Claro. Lo tuyo es diferente. Yo cuando era pequeño sí que ansiaba tener los veintiún años para irme de casa.

—¿Es que no te llevabas bien con tus padres?

—No. Mi padre era un déspota. Un caso típico de la crueldad de la clase alta mexicana. Oficialmente se dedicaba a importar y exportar maquinaria de los Estados

Unidos a México, pero era todo una tapadera para otros negocios turbios.

—¡Vaya, qué interesante!

Heriberto hizo un gesto de fastidio, pero Charlie pudo ver que era de broma.

—Supongo que sí, aunque a mí me parecía entonces un cabrón. Era un criminal de guante blanco.

—¿Y qué negocios eran esos?

Heriberto calló un momento, como si estuviese pensando si valía la pena entrar en explicaciones.

—Armas. Armas para los revolucionarios y para los contrarrevolucionarios igualmente. Mi viejo no tenía ningún principio moral. Para ser rico en México es necesario dejar la moral a un lado.

—Como en todas partes, supongo —dijo Charlie.

—En México más.

—Pues la tía Irene me parece a mí una mujer muy buena.

—Sí. Ahora sí lo es, y me llevo estupendamente con ella... —se interrumpió, pensando en cómo iba a explicarse—. Bueno, seguramente lo fue siempre, pero realmente con mi padre vivo en aquellos años se volvió un poco señorona y luego mi padre la volvió loca con sus infidelidades... Ahora la comprendo y no la critico, pero entonces yo era muy radical. No me gustaba la vida que el viejo me tenía preparada. El quería «hacerme un hombre» y yo le decepcionaba porque yo...

Calló, se quedó pensando en cómo continuar. Charlie sintió la excitación de pensar que iba a confesarle su homosexualidad, pero Heriberto finalmente se limitó a decir:

—Yo era entonces como tú ahora. Quería viajar y conocer mundo. Mi padre quería que estudiara derecho y toda esa vaina, ya sabes, la vida del *yuppie,* como se decía entonces. Quería hacerme respetable y administrar el dinero sucio que él había amasado a lo largo de su vida. No sabes qué presión tuve yo entonces. No me quiso respaldar los planes que yo tenía de estudiar arte, así que cuando tuve la mayoría de edad me largué nomás un buen día.

Charlie le escuchaba en un silencio reverente, saboreando esas confesiones del primo Heriberto, cuya vida le parecía el argumento de una de las películas de cine independiente americano que solía ver en la filmoteca de Barcelona.

¡Qué diferencia con la suya! Tan buen chico él, siempre trabajando para ayudar a su madre, sin conflictos de ninguna clase. Escuchando a Heriberto se sentía pequeño y cobarde, viviendo una vida mezquina de clase media baja. Pensó en sus tardes con Sabir y Albert viendo vídeos y fumando porros, cuando lo más que les podía pasar era una noche de juerga en una discoteca.

Se propuso escapar de todo ello. A partir de entonces iba a poner todo su empeño en forjarse una vida interesante y construirse una personalidad seductora como la del primo Heriberto. Viajar por Europa ese verano sería el primer paso en esa dirección.

—¿Y qué hiciste cuando te fuiste de casa? —quiso saber.

—Estuve por ahí vagando y viendo mundo hasta que me cansé. Me fui por los Estados Unidos haciendo el pendejo. Autostop y todo eso, y luego me vine para Europa. Estuve en París sirviendo mesas y limpiando váteres. En Barcelona trabajé en no sabes tú qué cosas...

—Sigue contándome —insistió Charlie—. ¿Cómo terminó tu viaje? ¿Te reconciliaste con tus padres?

—Yo no hubiera vuelto nunca, pero mi madre se preocupaba y consiguió convencer al viejo para que pagara los estudios que yo quería. Mejor eso que tenerme dando vueltas por el mundo. Así que, al cabo de un año, vinieron los dos a Madrid y me entrevisté con ellos. El viejo se había calmado mucho y me dijeron que, bueno, que ya había hecho yo lo que quería; que ya había demostrado lo que tenía que demostrar y... eso fue todo. Al poco volví a los Estados Unidos para estudiar arte y vivir la vida de lo que ustedes aquí llaman un pijo, sacándoles la lana a los viejos y emborrachándome. Lo típico, vaya.

—¡A mí no me parece nada típica esa vida tuya! Al contrario, es de lo más interesante.

—Bueno, ya verás tú que es lo normal, que eso es lo que se hace cuando se nace en el lado bueno del mundo. El pendejo durante los años jóvenes y, antes de que te des cuenta, te llegan los cuarenta y ya se te pasan esas ganas de vivir al margen y ser especial.

Heriberto fue a pedir unas cervezas a la barra mientras Charlie se quedó en la mesa fumando y escuchando el rumor de conversaciones mezclarse con las olas y la música del bar. Estaba pletórico por lo bien que se había reconducido la noche tras el desastroso inicio. Le pareció que todo era perfecto, que esa velada era la mejor que había vivido en su vida. Si la cosa seguía así, pronto encontraría el coraje para confesarle a Heriberto su homosexualidad, y entonces...

Vio a Heriberto hablar con un hombre en la barra. El camarero le sirvió las dos cervezas. Heriberto tomó una para él y le señaló al camarero la mesa donde estaba Charlie esperándole.

Charlie maldijo a aquel hombre que se atrevía a acaparar a *su* Heriberto justo en el momento en el que ellos dos habían alcanzado un cierto grado de intimidad. Sintió celos, pensando que seguramente Heriberto le encontraría mucho más interesante que a él.

Miró hacia el mar. Había unos bañistas nocturnos. Después repasó la clientela *cool* que se reunía a esas horas en el chiringuito. Calculó que, aparte de Heriberto y su amigo, no había en todo el bar nadie mayor de treinta, pero, aunque había muchos chicos atractivos, ninguno le excitaba como Heriberto, de pie en la barra con su ropa quizás demasiado elegante en contraste con la de los demás.

—Hola. Heriberto me dijo que te trajese la *birra*.

Charlie reconoció al camarero de las noches. Le sorprendió que conociese a Heriberto por su nombre.

—Hola —devolvió el saludo Charlie—. Gracias.

Era un argentino jovencito, de ademanes coquetos y con mucha pluma.

—¿De qué conocés a Heriberto? —le preguntó el joven.

—Es mi primo.

—Mmm... Mientras más primo... —dijo el chico.

Charlie sonrió por el descaro de aquel hombrecillo delgaducho, todo boca y sonrisa.

—¿Con quién habla Heriberto?

—Es Txiki. ¿No lo conocés?

—No. ¿Quién es? —preguntó Charlie.

—Es el dueño de este bar y del Chez Magritte.

—¿Dueño de qué?

El camarero abrió los ojos exagerando su sorpresa.

—De la disco. ¿Tampoco la conocés?

Charlie negó con la cabeza.

—¿Vas a estar mucho tiempo por acá?

—Un mes, casi

—Bueno pues ya la conocerás. Me voy para la barra. Oye, ¿y vos cómo te llamás?

—Charlie

—Yo soy Beni.

—Encantado.

—Nos vemos luego.

Le guiñó el ojo otra vez y se fue hacia el bar, recogiendo por el camino vasos y botellas vacías que había abandonadas por las mesas.

Heriberto se despidió del tal Txiki con un apretón en el brazo y vino para la mesa donde estaba Charlie.

—Perdona, es que me entretuvo un conocido.

—Txiki —dijo Charlie, como si le conociese de toda la vida.

—Sí, ¿sabes quién es?

—No, pero me lo ha dicho el camarero ese argentino.

—Yo le conozco de venir a sentarme por las tardes después del baño —explicó Heriberto—. Es el dueño de este bar y también de una de las discotecas del pueblo. Es todo un personaje. Dice mi madre que tiene fama de ser un poco mafioso, como se ha de ser para estar metido en el negocio de la noche, especialmente en la costa.

Charlie pensó en ese lado oscuro del pueblo, donde los dueños de discotecas conocían a todo el mundo, donde había mafias y vendedores de drogas, coexistiendo con la aparente respetabilidad de las señoras Sardás y las tías Irenes.

Compartió esos pensamientos con Heriberto, que estuvo de acuerdo con él y aprobó el análisis que Charlie hacía de aquella sociedad.

—Fíjate tú que yo no quería venir aquí porque me parecía que iba a ser un sitio donde no pasaba nada.

—Los pueblos pequeños siempre son muy interesantes —dijo Heriberto—. Nunca sabes lo que pasa detrás de las casas y las fachadas. Cada casa esconde un crimen inconfesable, un secreto...

Charlie rió.

—Siempre es así —continuó Heriberto—. Para que reine la paz de los biempensantes se necesita un mundo de alcantarillas y cloacas que se lleven la mierda. Además, este pueblo siempre ha sido de frontera y de contrabandistas. El padre del Txiki vino aquí en los años cuarenta y se forraron pasando alcohol y cigarrillos entre Francia y España.

Charlie se alegró de que su comentario le hubiera parecido pertinente a Heriberto. Pensó que había entrado por primera vez en una conversación de tú a tú con él. «Estás haciéndolo bien —pensó—, pronto te lo ganarás y poco a poco irás haciendo amistad hasta que terminéis en la cama juntos.»

—¿Regresamos a casa? —propuso Heriberto cuando terminaron las dos cervezas—. Ahora sí que estoy cansado y mañana tengo mucho que hacer.

—¿Tienes que escribir?

—Sí, pero primero debo ir a Figueras a documentarme y hacer unas entrevistas. Así que quiero estar despejado.

—Vamos, pues.

Heriberto saludó a Txiki con la mano y Charlie hizo lo propio con Beni. Subiendo las escaleras del acantilado se cruzaron con Mimí, Virginie y su séquito de holandeses.

—¡Ya os vais!

—Sí, hay que trabajar mañana —dijo Heriberto.

—Pero tú no —insistió Mimí—. Vente con nosotros, que hoy es el día de la fiesta grande.

—Quédate —sugirió Heriberto.

—No, prefiero retirarme también. Ya he tenido bastante fiesta hoy.

Pero Mimí, como ya sospechaba Charlie, no era de las que aceptan un no fácilmente y decidió que si había perdido ese combate no había perdido la batalla, e insistió tanto que Charlie no pudo escabullirse.

Capítulo 8

Mimí

Heriberto no había hecho más que mostrarle una amable cordialidad durante aquel paseo nocturno. Había contestando pacientemente a las preguntas que Charlie le había ido haciendo sobre su pasado por cortesía, y no por sentir ningún especial interés en hablar de su pasado o en abrirle su corazón, pero eran tan pocas sus expectativas que Charlie se despidió de él con la impresión de haber hecho grandes avances en sus planes de seducción. Hubiera preferido continuar profundizando esa relación en la intimidad de la terraza de la casa, pero le pareció evidente que su primo quería trabajar, así que terminó aceptando unirse al grupo que comandaba Mimí.

Pensó tomarse un par de cervezas con ella y luego regresar a casa para repasar mentalmente las pinceladas biográficas que Heriberto le había ido ofreciendo, saboreando a solas el éxito inesperado de aquella noche.

Pero Mimí tenía otras ideas. Estuvo invitándole a copas y engatusándole con rayas de cocaína hasta la salida del sol.

—Ahora que te has tomado todo esto, no me puedes abandonar —se quejó cada vez que él intentó retirarse a casa.

—Estás con Virginie, ¿no?

—Virginie anda detrás del holandés guapo y se va a pirar en cualquier momento, así que no me dejes colgada tú también.

En realidad, no le importó dejarse enredar por sus intrigas. Le parecía ingeniosa y le divertía observar la forma despótica con la que trataba al grupo de holandeses. Se comportaba con ellos como la jefa de una cuadrilla de bandidos, otorgando favores a unos e ignorando a otros según su capricho. Tenía algo de matón de barrio y disfrutaba dominando a la gente a su antojo, pero lo hacía con tanta gracia que nadie se lo tomaba mal.

Después del chiringuito fueron a la discoteca y, cuando la discoteca cerró, les llevó a su casa, donde se improvisó una fiesta *after-hours* recogiendo a todos los que buscaban donde prolongar la noche. Esas reuniones a deshoras eran algo habitual. Sus padres estaban de viaje y ella aprovechaba su ausencia para convertir la casa en una guarida de noctámbulos.

Mientras los demás bebían y se intercambiaban simplezas de jóvenes borrachos, Mimí le contó unas historias de amantes y polvos que Charlie escuchó con incredulidad, perplejo por la desenvoltura con la que le soltaba aquel torrente de confidencias sexuales. Tenía sólo cinco años más que Charlie, pero se jactaba de haber tenido la vida sexual de una cortesana.

—¿Tú te lo has hecho alguna vez con un hombre? —le preguntó de pronto, mientras le ofrecía la enésima raya de cocaína en el cuarto de baño.

Charlie murmuró algo ininteligible.

—Yo no soy lesbiana —continuó sin darle tiempo a responder —pero me lo he hecho con tías muchas veces. Por ejemplo con Virginie. Antes dormíamos juntas y siempre terminábamos liadas, pero soy esencialmente hetero porque a mí lo que más me gusta en el mundo es tener un buen rabo entre las piernas. Pero tengo entre un treinta y un quince por ciento de bollera, depende del día, y según lo que se ofrezca, claro. En un momento dado, me lo hago con quien me apetece sin distinción de sexo, color, o religión, pero, por ejemplo, si tengo que hacérmelo con un cardo de tía o de tío, escojo al tío sin dudarlo.

Charlie aspiró la generosa raya que ella le ofreció en un espejo de maquillaje. Mimí parecía tener unas reservas inagotables de polvo blanco.

—¿Y tú —le preguntó ella.

—¿Yo?

Charlie vaciló. A pesar de la abundancia de cocaína que le había suministrado con tanta liberalidad, aún no había perdido el control de sí mismo ni se sentía del todo relajado con Mimí. Algo había en ella que le impedía bajar sus barreras defensivas. Era tan deslenguada que temía que cualquier confidencia que él le hiciera sería de dominio público en todo el pueblo antes del amanecer.

—Pues yo tengo igual porcentaje que tú de bollera...
—bromeó.

—Pues tendríamos que ejercitar juntos ese pequeño porcentaje —dijo ella guiñándole el ojo—. Seremos amantes lesbianas.

—Tía, ¿sólo hablas de sexo tú?

—¿Hay algo que importe más? *Sexo, droga y rock and roll es todo lo que el cuerpo necesita.* ¿Conoces la canción?

—Ian Dury.

Mimí sonrió, impresionada por que él conociera a los clásicos del rock.

—A ti en cambio te molesta hablar de sexo, ¿verdad? —dijo luego.

Charlie se encogió de hombros.

—Es que no me has hablado de otra cosa en toda la noche y yo soy un poco reservado en estos asuntos. En el colegio me tomaban siempre por un pureta porque todos los compañeros estaban siempre como tú, dale que te pego, que si a ésta me la tiraría así, que si aquélla me la follaría asá... pero a mí es que no me sale. Para mí el sexo se practica pero no se habla.

Ella le pasó el porro.

—¡Qué raro eres! Seguro que vas a un colegio de curas.

—Para nada. Yo soy de colegio público. Y mi madre es una mujer de izquierdas de toda la vida.

—Mmm... —Mimí se quedó rumiando ese nuevo dato, cruzándolo en su mente con el resto de información que había almacenado sobre él y computando sus conclusiones.

—Pero estás incómodo hablando de sexo.

En realidad, Charlie no es que se encontrara incómodo hablando de sexo, pero como no quería hacer confesiones a Mimí, tenía poco que contar para satisfacer la extrema curiosidad de aquella chica.

—¡Es que no estoy acostumbrado a que me hagan un tercer grado sobre mi vida sexual y menos alguien a quien acabo de conocer!

—Ya nos iremos conociendo.

Raya tras raya y porro tras porro se les pasó la noche. Mimí siguió pegada a su lado haciéndole sus confesiones atrevidas y contándole historias morbosas sobre cualquiera que se les cruzase por el campo de visión. A Charlie le escandalizaba un poco aquella falta de pudor.

Finalmente, la claridad del nuevo día empezó a colarse por las rendijas, denunciando con su luminosidad cruel el desolado paisaje de vasos vacíos y ceniceros rebosantes. Una lamentable sensación de saldo se extendió por el salón. Poco a poco los juerguistas fueron despidiéndose o cayendo rendidos por los rincones de la casa.

Charlie rechazó la invitación de Mimí para subir a su cuarto a tomar una última rayita de cocaína.

—Ya es de día. Ahora sí que me retiro.

—Quédate a dormir aquí —insistió ella.

Pero Charlie se negó. Estaba cansado y necesitaba estar solo tras tanta verborrea cocainómana. Mimí le acompañó a la puerta y anduvo con él un trozo del camino. Cuando por fin estaban despidiéndose al final de la calle, le agarró por la cintura, lo abrazó con fuerza y le estampó un beso en la boca que le dejó desconcertado. Mimí tomó su falta de reacción como timidez y empezó a forcejear con la cremallera de la bragueta. Charlie levantó la vista y le pareció ver un movimiento de visillos en la casa de enfrente.

—Nos están espiando —avisó, apartándole la mano con un movimiento suave pero firme y señalando con la cabeza la ventana de las cortinas.

—Bah, que se jodan —dijo ella maniobrando por los calzoncillos hasta dar con el pene flácido de Charlie.

—Déjalo. Estoy muy «ciego» —le dijo él zafándose de ella.

Mimí no insistió. Se encogió de hombros como solía hacer cuando quería fingir indiferencia, sonrió, hizo una broma y se despidió como si nada hubiese sucedido.

De vuelta en su cuarto, Charlie se echó en la cama sintiéndose todavía confuso por aquel atrevimiento de Mimí. Comprendió que todo el despliegue de simpatía y la predilección que le había mostrado Mimí a lo largo de la noche no habían tenido otro objetivo que seducirle. Las rayas de cocaína habían sido una inversión de la que Mimí había esperado obtener dividendos. Se sintió estúpido por no haberlo visto venir desde el principio. Por otro lado, tenía que admirar la determinación de la chica, comparado con la indecisión suya con Heriberto.

Temía que aquella incursión fuese sólo un primer asalto. Tendría que hablar con Mimí para evitar que volviera a repetirse una situación bochornosa como aquella, aunque intuyó que no le iba a resultar fácil librarse de ella. La única manera sería hacer ante ella un *coming out* en toda regla. De lo contrario, y a juzgar por las historias que le había contado a lo largo de la noche, Mimí no iba a dejarle tranquilo en todas las vacaciones.

La cocaína y el calor le tuvieron desvelado escuchando los pájaros y las chicharras, hasta que oyó a la tía Irene levantarse y a Heriberto subir y bajar del ático. Le oyó dar un portazo y arrancar el coche. Charlie pensó que sería otro día de tediosa espera hasta que él regresara.

Finalmente le vinieron a la cabeza imágenes eróticas que terminaron en la habitual masturbación, tras lo cual consiguió hundirse en un narcótico sueño hasta despertar pasado el mediodía.

La tía Irene le dijo que la comida iba un poco retrasada y que se fuera a dar un baño a la playa si quería. Tras la euforia festiva, el pueblo había recuperado el habitual aire tranquilo. Al llegar al mirador sobre el acantilado se detuvo a mirar el azul del mar invitándole al baño. Bajó los escalones de roca, se desnudó y se sumergió en las aguas limpias de la cala. Estuvo buceando un rato, sintiéndose pequeño y frágil en la inmensidad desconocida de las profundidades y, al volver a la arena, echó una cabezadita acariciado por el sol y arrullado por las olas. Después fue al chiringuito y estuvo fumando y bebiendo cerveza. Se aburría. El tiempo pasaba lentamente en aquel pueblo. Cogió un periódico que había en una mesa y fue hojeando las noticias del mundo. Terrorismo en Oriente Próximo, hambrunas en África, ataques racistas en Barcelona. Reuniones de banqueros para atajar el colapso del sistema financiero internacional. Todo parecía muy lejos de la paz de aquella playa.

Sin embargo, Charlie empezaba a comprender que detrás de aquella paz idílica había un avispero de pasiones y deseos insatisfechos. Barrió la playa con la mirada. Pensó en toda la gente que tomaba el sol tan apaciblemente. Todos escondían algún secreto. Como Mimí, quien tras su fachada de simpatía había ocultado una voracidad sexual inimaginable; o cómo él mismo, tan impaciente por seducir a Heriberto. Fue hojeando el periódico hasta llegar a las páginas de los contactos en la sección de anuncios por palabras. Todo era sexo. Prostitutas que ofrecían las más variadas perversiones para contentar los deseos de los políticos y los hombres de negocios que aparecían en las otras secciones del periódico.

Recordó las palabras de Mimí: «¿Hay algo que importe más?». El sexo, esa fuerza que hasta entonces él había poco menos que ignorado, se le aparecía ahora en todas partes. Nadie escapaba a aquella fuerza incontrolable. Él deseaba a Heriberto, Heriberto le ignoraba, Mimí le deseaba a él y él la ignoraba. Todo era un juego de deseos insatisfechos. Esa era la vida del adulto. Un continuo querer poseer y ser poseído. El sexo es lo que mueve el mundo. Ahora también él se había unido a esa corriente que todo lo arrastra. Ahí estaban las páginas de los anuncios por palabras, donde un ejército de profesionales de ambos sexos se ofrecía a aliviar ese apetito insaciable. La profesión más antigua del mundo. El placer breve de un orgasmo. Eso es todo lo que importaba realmente. Mimí tenía razón. Por detrás de la aparente importancia de las reuniones bilaterales entre China y La UE, de las crisis bursátiles, estaba ese mundo de pasiones y deseos insatisfechos paliado por prostitutas y *chat rooms*.

Se sintió muy frustrado al volver a casa y encontrarse la mesa puesta para dos. Heriberto había llamado para decir que tenía trabajo y que no le esperasen. Comió con desgana las milanesas de la tía Irene, intercambiando con ella palabras de compromiso sobre la noche anterior y, en cuanto pudo, se retiró a una tumbona dispuesto a recuperar las horas de sueño que le faltaban.

Abrió la novela de Jean Genet que se había propuesto leer, pero el calor y sus preocupaciones le impidieron concentrarse en ficciones y terminó cayendo dormido mientras escuchaba la música de jazz que salía del salón. Agotado, durmió un sueño profundo hasta que le despertó una llamada en el picaporte.

Antes de poder reaccionar, oyó la voz recia de Mimí hablando con la tía Irene, quien la hizo pasar a la terraza donde él dormitaba.

—Fuiste un mal educado dejándome colgada esta mañana —le soltó ella en cuanto se quedaron solos en la terraza.

Charlie aún no había terminado de despertar de su siesta y se sintió irritado por aquella invasión. Frunció el ceño asombrado por el inesperado arranque.

—Eres un calientabragas —continuó ella—. Me estuviste toda la noche tonteando y, cuando yo respondo, me dejas colgada como un jamón. ¡Me sentí tan humillada...! Yo no soy una niñata de tu instituto. Yo tengo ya veintitrés años y no estoy acostumbrada a que me traten así, y menos un mocoso como tú.

Charlie soltó una risa nerviosa y puso expresión de sorpresa. Por un lado le hizo gracia verse representado por primera vez en su vida como un depredador sexual que juega con los sentimientos y las expectativas de una pobre chica. Era verdaderamente una novedad, pero no podía dejarse apabullar así por Mimí. Al fin y al cabo, era ella quien se le había echado encima. Así se lo hizo saber.

—¡Pero cómo te atreves! —respondió ella, indignada al oírle decir eso—. ¿Me estás diciendo que yo fui la que te estuvo echando los tejos? Pero si estuviste tú pegado a mí toda la noche, ahuyentándome a todos los pretendientes con esa actitud de mosquita muerta. Yo podía haberme ido con cualquiera que me lo hubiese propuesto, y ayer estaba bien en forma con tanta coca.

Mimí era mucho más descarada de lo que Charlie había imaginado. Calibró durante unos segundos si ella hablaba en serio o si estaba solamente haciendo comedia para ver cómo reaccionaba él. La miró mientras daba una calada teatral al porro antes de pasárselo. Pensó que, si bromeaba, lo hacía muy bien.

Charlie aspiró el humo del porro y se quedó en silencio. La agresividad de Mimí le confundía, pero pensó que de nada iba a servirle responderle con su misma agresividad.

—Fue un malentendido —le dijo conciliador—. Yo lo único que quería era ser simpático. No sabía que tú ibas a interpretar así mi actitud.

Mimí no se quedó satisfecha con esa excusa.

—Nene, pues eres un gilipollas absoluto. Estuviste toda la noche coqueteando sin darte cuenta, entonces. Pregunta a Virginie, si no. Ella también estaba segura de que me echabas los tejos.

—Sí. Fue todo un error, lo siento. Te pido perdón. Te aseguro que no era mi intención.

—Ya, así que todo fueron imaginaciones mías.

Charlie calibró lo que iba a decir para no enfurecerla más, pero no encontró las palabras.

—Pues sí —dijo finalmente.

—¿No te gusto? —preguntó ella.

—Me gustas pero no de esa forma que tú piensas.

—¿Y qué forma es esa?

—Me pareces divertida, muy inteligente...

—Pero no sexy —le cortó ella.

Charlie tuvo que admitir que eso no.

—No eres mi tipo, esa es la verdad.

—¿Y cuál es tu tipo? Si dices que no has tenido rollo con ninguna chica, deberías aprovechar y descubrirlo.

Charlie pensó que, como no tuviera cuidado, iba a verse otra vez en un intento de violación.

—No estoy acostumbrado a que una tía se me eche encima de esa manera.

—Nene, pues es que contigo no hay otra manera. Como no tome yo la iniciativa vas a quedarte virgen para los restos.

Charlie empezaba a estar harto de que todo el mundo le tratara como un niño.

—No tienes que sacrificarte por mí. Yo no te he pedido nada. Déjame, que ya me buscaré la vida.

—¿Con tu primo? —preguntó ella, irónica.

Charlie sintió que no podía controlar ruborizarse como si le hubieran pillado en falta.

—¿Con Heriberto? ¿Por qué? —preguntó a su vez, haciéndose el inocente.

—No sé. Como ayer no te despegabas de él. Por lo visto preferías estar con él que conmigo.

Mimí se levantó y, sin esperar respuesta a su provocación, le propuso salir a pasear.

—¿Quieres acompañarme al chiringuito? He quedado allí con Virginie, que está en la playa con el holandés de anoche, pero, no sé, si prefieres quedarte leyendo... —dijo echando una mirada significativa al libro de Jean Genet que Charlie había dejado en el suelo.

De nuevo Charlie percibió quintas y sextas intenciones. Esa mujer parecía un detective siempre a punto de sonsacarle algún secreto. A pesar de todo, Charlie accedió a salir con ella.

—¿Te gusta Genet?

—No sé. No lo he empezado a leer todavía.

—Te gustará —le dijo ella enigmática—. ¿Vamos?

Cuando iban a abrir la puerta de la calle se toparon con Heriberto, que regresaba de sus quehaceres del día.

—Hola, hola —les saludó él, entrando en la casa—. ¿Van a pasear?

Mimí y Charlie asintieron. Charlie se arrepintió de haber aceptado salir con Mimí, perdiéndose así la oportunidad de charlar con Heriberto.

—Vamos al bar de la nudista. ¿Quieres venir? —le invitó Mimí.

—No, gracias, ya me gustaría a mí, pero tengo mucho trabajo. Me ducharé y voy a pasar estas notas. Diviértanse ustedes.

—De tanto trabajar con este calor, se te va a secar el cerebro —dijo Mimí.

—Ustedes todavía no saben qué es trabajo. Benditos sean.

—Hasta luego, señor ocupado —se despidió Mimí.

Heriberto le hizo una mueca burlona.

—Nos veremos luego para cenar —dijo Charlie.

—Hoy no cenaré con ustedes. Comeré cualquier cosa y me refugiaré en mi torre de marfil.

Charlie se maldijo por perder otra ocasión de socializar con Heriberto. A este paso se le iba a pasar el mes entero sin cruzar ni una palabra con él.

—¿Tú crees que tu primo *entiende*? —le preguntó Mimí una vez que se encontraron solos caminando por el paseo rumbo a la playa.

—No sé. Es posible. ¿Por?

—Ah, no sé. —Mimí le miró con cara de sorpresa, pero no terminó la frase porque estaban llegando al mirador del acantilado, donde reconoció a tres hombres que fumaban un porro sentados en el banco de piedra.

Mimí les saludó con exagerada efusividad. Eran tres pescadores que hablaban el catalán cerrado y pueblerino de aquella parte del Ampurdán. Mimí los presentó a Charlie como Emili, Cisco e Isidre, y empezó a coquetear con ellos contándoles con vanagloria los excesos que había hecho la noche anterior.

Charlie la observó en silencio, maravillándose de su desparpajo y admirándose de la facilidad con la que Mimí se comunicaba con cualquiera. Los tres pescadores la escucharon con cierta distancia. Charlie detectó en ellos una mezcla de simpatía y hostilidad. Su acento barcelonés de parte alta y su seguridad en sí misma sugerían un orden secular en la sociedad local que apenas había sido perturbado por el turismo de los últimos treinta años. Para Isidre, Emili y Cisco ella seguía siendo «la hija de la casa Sardá».

—¿Qué te han parecido? —le preguntó Mimí cuando los tres se despidieron y desaparecieron en dirección al paseo—. Es guapo el Emili, ¿verdad?

—Es atractivo como un personaje de Walt Whitman.

—¡Qué pesado eres con la literatura! Yo seré todo sexo, pero tú, nene, eres todo literatura —le reprendió Mimí.

—¿Es que hay algo que importe más? —bromeó él.

Mimí no le hizo caso.

—El año pasado me lo hice con él en las fiestas, pero este verano me parece que pasa, continuó ella. Se corta. Se hace mayor y busca algo serio, y yo no soy su estilo para eso. No sé si entiende. Me da que con tantas horas que pasan juntos en los barcos se deben enrollar entre ellos ¡Qué morbo!, ¿no?

Charlie rió al escuchar este análisis tan rotundo sobre la situación del pobre pescador

—¡Pero tú es que ves entendidos por todas partes! Primero Heriberto y ahora éste.

—Nene, es que tu primo Heriberto tiene una pluma como un piano, ¿o es que no lo ves?

Charlie se encogió de hombros. Miró hacia la bahía recordando el deseo de abrazar a Heriberto que había sentido en aquel mismo punto la noche anterior.

—Me parece que Heriberto se lo hace con Txiki.

—¿Txiki, el dueño del chiringuito? ¿También él es gay? —preguntó Charlie.

—Sí, nene. Ya ves. Aquí no hay un palmo limpio, como decimos en catalán. Beni, el camarero del chiringuito, está loco por tu primo, pero él pasa olímpicamente. No le hace ni caso. En cambio sí que se lleva a las mil maravillas con Txiki. Virginie dice que es que a tu primo le van los «osos».

—¿Los osos?

—Sí, los señores mayores y barrigones con mucho vello y bigotudos. Es un estilo muy frecuente entre los gays. Sospechamos que a Heriberto le va ese estilo. En cambio, a Beni le van más los maduros. ¿Y a ti?

Él esquivó la mirada. Aprovechando que estaba aspirando su turno del porro, no contestó y fingió perderse en ensoñaciones marinas mirando el horizonte.

—A mí me van las tías mayores como bollo —siguió Mimí, ignorando como siempre la reacción de Charlie—, pero los hombres me gustan tiernos y frescos. Soy un poco pedófila.

Charlie pensó que Mimí estaba de nuevo a la carga y se sintió incómodo por el descaro de aquella chica que hablaba con tanta soltura de sus predilecciones sexuales.

—A mí también me gustan las mujeres mayores —dijo sin pensarlo dos veces, de manera automática—. Tienen más experiencia y no me gusta ser yo el que dirige el sexo.

Nada más decirlo se sintió estúpido. No era un pensamiento que él realmente sintiera.

—¿Y los hombres?

Charlie no quería mentir, pero tampoco se sentía inclinado a destapar sus cartas. Pensaba que Mimí estaba jugando con él y llevándole por donde quería y sentía algo de rebelión contra ese interrogatorio y esa clasificación en la que quería meterle la chica a toda costa.

—Los hombres también, supongo —dijo finalmente con calculada ambigüedad.

Mimí no se sintió en absoluto satisfecha con esa respuesta tan poco comprometida e insistió:

—Todavía no me has dicho si te lo has hecho con un hombre alguna vez.

—¡Pero qué cotilla eres! —se quejó él, aunque finalmente decidió sucumbir a su curiosidad—. Me lo he hecho con uno.

—Ah, ya me lo parecía. ¿Y por qué no me lo dijiste anoche?

—No tenía ganas.

—¿Y te gusta Heriberto, ¿verdad?

Charlie ya no se sorprendió de nada. Le irritaba ese interrogatorio de Mimí, y pensó que lo mejor sería confesar la verdad y quedarse tranquilo. Al fin y al cabo, qué más le daba a él lo que supiese o no esa chica. Pronto él estaría en Francia y ella se perdería en el recuerdo. Además, si Mimí se iba de la lengua, ¿qué importaba? Mejor.

—Sí. Es muy sexy, ¿no?

Mimí sonrió triunfante.

—No es mi tipo. Demasiado mayor —dijo ella.

—Es sólo platónico.

—Nene, pues tienes que hacer algo.

—No. No voy a hacer nada. ¿Qué quieres que haga? ¿Que me tire a sus pies?

Mimí calló y se quedó pensativa.

—Ya pensaremos algo, aunque yo creo que Virginie tiene razón.

—¿Tiene razón en qué?

—Que a tu primo le van los «osos».

—Pues entonces no hay nada que hacer.

—De todas formas tienes que intentarlo.

—Pero tú crees que Heriberto entiende, ¿estás segura?

—De eso sí que no tengo ninguna duda.

—Vamos a bajar a la playa. Veo que Virginie nos ha visto y nos hace señas.

En la playa les recibió Virginie con su escultural desnudez rodeada de los holandeses windsurfistas.

—¿Qué hacíais allá arriba? Llevo haciéndoos señas mucho rato —dijo la francesa.

—Estábamos fumando un canuto y no nos hemos dado cuenta de nada. ¿Vamos al bar?

Virginie fue a recoger sus cosas y a despedirse de sus admiradores mientras Mimí y Charlie iban hacia el bar. Charlie vio en el reloj que eran ya casi las siete de la tarde.

Tras la barra estaba aún la rubia de la mañana. Se sentaron en una mesa de una esquina alejada de la barra, y Mimí lió otro cigarrillo de hachís. Charlie se sintió liberado tras hacer aquella salida del armario con Mimí. Esperaba que ello al menos pusiera fin a sus avances sexuales. Además, lo había dejado suficientemente ambiguo como para hacer una posible retirada, en caso de ser necesario. Aunque por ahora se sentía inclinado a hablar y dejarse aconsejar por aquel derviche sexual que era Mimí.

—¿Y te lo quieres hacer con él?

—Me da corte. Es como una traición a la hospitalidad de mi tía, ¿no?

—No seas burro. Tu primo es ya una persona hecha y derecha, y no un pimpollo como tú.

—Ya, pero él pasa completamente de mí. Además, si es verdad lo que dices y le gustan los «osos»...

—Ya, pero tú estás bien bueno y a nadie le amarga un dulce —dijo Mimí, pensando tal vez en su propia reacción si Charlie se le ofreciese sexualmente—. Aunque tu primo Heriberto es raro. No sé, será eso de ser medio sudaca y medio yanqui, pero hay algo que no acabo de comprender.

Virginie se unió a ellos y Mimí le explicó rápidamente, en francés, lo que estaban diciendo. Charlie cerró los ojos y se dejó llevar. Una vez que le había confesado a Mimí su secreto, ya no había vuelta atrás, y era evidente que aquella chica indiscreta no iba a morderse la lengua.

«¡Si tan sólo se enterase por fin Heriberto! —pensó Charlie—, doy esta humillación por bien empleada.»

Llegó Beni, el camarero de la noche, quien se sentó un rato con ellos antes de empezar su trabajo en la barra.

—Esta noche hay una gente de Barcelona que hacen una *rave* en una cala —les anunció.

—¡Qué fantástico! —exclamó Mimí, entusiasmada por la perspectiva de otra noche de farra—. Iremos, ¿no? —dijo mirando a Charlie.

—Gracias pero no. No me encuentro muy fiestero hoy —contestó él.

Mimí le insistió, pero Charlie se resistió firmemente aduciendo que estaba todavía recuperándose de la noche sin dormir.

—Lo que pasa es que tienes una estrategia para esta noche, ¿verdad? Por eso no quieres venir con nosotras.

—No, no. Ninguna estrategia. Heriberto seguro que está dale que te pego al ordenador hasta las tantas y ni me hablará, así que ya ves tú, pero no importa. Tampoco quiero salir.

—Tienes que hacer algo —repitió Mimí volviendo al tema Heriberto. ¿Por qué no le subes un café o le ofreces una copa o algo? Esta noche, cuando tu tía esté acostada, subes casi sin ropa y le ofreces un vaso de algo y seguro que, aunque sea sólo por educación, te lo acepta y deja de trabajar, y entonces tú te haces el remolón y te quedas hablándole de una cosa u otra. Le preguntas por su libro o algo así. Ya verás cómo una cosa lleva a la otra. Lo importante es que tú te pongas a tiro. Estoy segura de que no falla: por más que le gusten los osos —dijo mirando ahora a Virginie—, seguro que si Charlie se le ofrece no va a poder rechazarlo. Nadie hace ascos a un dulce.

Charlie sonrió.

—¡Tú has visto muchas películas porno, tía! Gracias por el consejo, pero seguro que no funciona porque yo soy su primo y estoy en casa de su madre de invitado. Si nos enrollamos, se producirá una situación embarazosa que le desconcentrará de lo que ha venido a hacer, que es a escribir, y no a liarse con un primo menor de edad.

—No eres menor de edad y estoy segura de que no te hará ascos. Los hombres nunca dicen que no, y los gays menos. ¿Tú qué piensas, Virginie?

—*Oh, là là!* —respondió la francesa encogiéndose de hombros—. *Je ne sais pas*, pero más vale intentarlo y fracasar que no hacer nada y quedarse con la duda.

—Esta noche te le ofreces y mañana ya nos dirás qué pasó —sentenció Mimí apagando el canuto.

—Ya veré —contestó Charlie.

—Mañana nos lo cuentas en la playa.

—Vale. Adiós ahora, que os divirtáis.

Charlie se apresuró a regresar a casa para llegar puntual a la hora de la cena.

Capítulo 9

Perturbaciones hormonales

Como ya había anunciado, Heriberto no bajó a cenar con ellos esa noche. Cuando subió a ducharse antes de cenar, Charlie le escuchó teclear en el ordenador portátil. Recordando el consejo de Mimí, se ofreció a subirle unos sándwiches, pero la tía ya se le había anticipado y, sin encontrar otra excusa convincente para interrumpirle, tuvo que conformarse con la información de segunda mano que la tía Irene fue ofreciéndole durante su cena *tête-a-tête* en la terraza.

—Cuando tenía tu edad tuvimos muchos disgustos con Heriberto —le contó—. Claro que yo reconozco que tampoco fui una madre ejemplar. Entonces, yo pasaba una etapa muy delicada. Sufrí una crisis nerviosa y la medicación que me daban me tenía completamente narcotizada. Muchos días ni siquiera salía del dormitorio. Estaba ensimismada y tengo que admitir que dejé a Heriberto un poco de lado. Mi marido y él discutían continuamente. Por casi cualquier cosa. Era insoportable. Un día, después de una bronca especialmente violenta, Heriberto se marchó de casa. Se fue a Europa y no supimos nada de él durante mucho tiempo. Pero por suerte todo eso es ya agua pasada. Ahora nos llevamos mejor que nunca, pero no fue fácil para él vivir con nosotros. Me temo que no fuimos unos padres muy modélicos.

La tía Irene hablaba sin acritud de su difunto marido, pero Charlie sabía, por lo que le había contado su madre, que, además de padre poco modélico, había sido un marido poco ejemplar. Alcohólico y mujeriego, había hecho infeliz a la tía Irene, engañándola con sus continuas amantes.

Charlie disfrutaba con esas historias del pasado que le transportaban a un mundo lleno de glamour como en las películas de Ava Gardner. Mientras la escuchaba sentía el vértigo de las mudanzas del tiempo, y le producía extrañeza pensar que, mientras se desarrollaba ese drama familiar, él ni siquiera había nacido. «La vida es como un tren que se aleja, dejando atrás estaciones desiertas a las que ya nunca se vuelve excepto con la memoria —pensó—. Dentro de veinte años también esta noche será un recuerdo desdibujado que yo recrearé quién sabe para quién.»

—Teníamos mucha lana —continuó la tía Irene sus evocaciones del pasado— y le dimos todo lo que él pudiera necesitar, excepto tal vez el cariño que él quería. Heriberto nos salió muy sensible. Le gustaban mucho las artes, el cine... En fin, no era en absoluto lo que su padre quería que él fuese. La adolescencia es siempre difícil. La mía lo fue también. ¿Sabes que mi padre era un judío que vino huyendo de los nazis? ¡No sé cómo se le ocurrió venir a España! Por amor seguramente. Se casó con una catalana muy guapa y prosperó mucho. De pequeños, tu padre y yo vivíamos en una casa muy grande con jardín en el barrio de Pedralbes. La vendimos al morir tu padre. En casa hablábamos siempre alemán con nuestro padre y castellano con nuestra madre. Teníamos también una institutriz inglesa y vivíamos una vida muy confortable. A mi padre le gustaban mucho las artes, en eso Heriberto ha salido a él, por eso me animó a hacerme bailarina. En cambio a mi marido el arte sólo le interesaba como estatus social o como inversión económica.

Continuaron charlando hasta que la tía se fue, como cada noche, a casa de la señora Sardá. Charlie se quedó entonces holgazaneando en la terraza, recreando mentalmente las historias que le había contado la tía. El pasado ejercía sobre él una poderosa fascinación, especialmente el pasado de Heriberto, sobre el que proyectaba sus ansias de aventuras, identificándose con su carácter rebelde. Deseaba alcanzar la mundología que atribuía al primo y le decepcionaba no haberse encontrado esa noche con él después del éxito relativo de la noche anterior. Creía haberse ganado un poco su confianza durante el paseo nocturno y estaba impaciente por afianzar el terreno ganado.

Fumó un cigarrillo tras otro, escuchando el rechinar de los grillos mientras respiraba el olor a jazmín que subía desde el jardín. Estuvo ideando pretextos para subir al ático y «ponerse a tiro», pero no lograba encontrar ninguna excusa convincente. La sugerencia que había hecho Mimí de insinuársele como un actor de película porno le parecía ridícula. Temía que a Heriberto su osadía simplemente le provocara la risa y, si le rechazaba, cosa que le parecía lo más probable dado el poco interés que hasta entonces Heriberto le había mostrado, Charlie sentiría un tremendo bochorno y nunca más podría mirar al primo a la cara.

Le llegaron las voces de la tía y la señora Sardá charlando en la casa de al lado, y el rumor de su conversación le hizo envidiar la paz con la que las dos mujeres disfrutaban de la *dolce vita* veraniega, libres de aquel deseo que a él le consumía. Envidiaba también la profesionalidad con la que Heriberto se dedicaba a su solitaria escritura. Comparado con la serenidad de los mayores, la simplona charlatanería de Mimí le resultaba tan cursi y embarazosa como las cartas que escribían los adolescentes a los consultorios de las revistas de jovencitas. Le dio vergüenza imaginar lo que Heriberto pensaría de haber podido espiar su conversación con Mimí.

Contradictorios sentimientos le circularon por los diferentes hemisferios cerebrales al recordar la doble confesión que le había hecho a Mimí aquella tarde: su homosexualidad y su atracción por Heriberto. Le preocupó el papel de valedora de su causa que se había arrogado la chica, temiendo que Mimí se dejara llevar por sus descabelladas fantasías. No se fiaba nada de las habilidades de Celestina que ella pudiera tener. Por otro lado, le era totalmente igual lo que hiciese o dejase de hacer Mimí. Una acción kamikaze de ese estilo tal vez serviría para dejar las cosas claras.

Bajó al jardín y alzó la vista a la ventana del ático. Estaba seguro de que Mimí habría encontrado una manera de forzarse en aquel recinto sagrado.

Charlie había subido un día furtivamente aprovechando que estaba solo en la casa. No se había atrevido a entrar y se quedó en el umbral mirando el cuarto y escuchando los ruidos de voces que subían hasta el ático desde la calle. El sol se colaba por la ventana abierta de par en par, a través de la cual se veían los pinos extendiéndose hasta lo alto de la colina. Miró la cama deshecha, el libro que había junto a ella y el espejo que reflejaba la pared blanca. Tuvo solamente unos minutos para echar un vistazo por los cuatro rincones. Pensó que había algo triste en la habitación de alguien ausente. Del respaldo de la silla del escritorio colgaban unos pantalones vaqueros y el polo blanco de Heriberto. El ruido repentino de una puerta que se cerró de golpe en alguna casa contigua le asustó y, como un ladrón pillado in fraganti, bajó raudo las escaleras y se refugió en su cuarto. Había sido una falsa alarma pero no se atrevió a volver a subir. Echado en su cama se había masturbado conjurando un encuentro en aquella cama desecha, abrazándose a los hombros de Heriberto.

Ahora, en la noche calurosa, acompañado por el brioso chirrido de los grillos, sintió de nuevo un ramalazo de deseo subirle por el cuerpo. El pene se le puso rígido y empezó a acariciárselo en un movimiento acompasado, aumentando la fricción hasta eyacular sobre su estómago sudoroso. Le sobrevino entonces una sensación de desánimo. Estaba harto de hacerse pajas tontas a cada momento. Lo que quería era repetir la fantástica follada con Ernesto el argentino.

Subió al baño a lavarse las manos. Heriberto seguía tecleando, ignorante de aquella pasión suya. Cogió el libro de Jean Genet y se sentó de nuevo en la terraza. Intentó leer pero sus pensamientos no le permitieron concentrarse en la lectura. Apagó la luz y se quedó pensando en la oscuridad.

Recordó la clase de ciencias en la que el señor Vilaseca les había contado que el amor no era otra cosa que un complejo estado de cambios hormonales y de interconexiones cerebrales. Eso era todo. No había por qué darle más vueltas. Charlie imaginó la secreción de líquidos en algún lugar del cerebro, coloreando el hipotálamo, el hipocampo o cualquier otra área cerebral. El señor Vilaseca les había proyectado una película sobre el funcionamiento del cerebro. Al terminar, con una sonrisa irónica había hablado del amor.

Era la única clase de ciencias en la que aquel profesor había conseguido despertar interés en las cabezas del grupo de alumnas dominicanas, quienes se negaban a aceptar una descripción del amor tan mecanicista. Eso es todo, había insistido el *profe*, aquel encallecido científico que era el señor Vilaseca. Enjuto y delgado, con una sonrisa de triunfo por desbaratar las ideas absurdas de aquellas jovencitas, cuyas ropas provocativas y maquillaje vulgar él despreciaba.

Charlie había visto a aquel profesor como una criatura asexuada, un busto parlante sin cuerpo ni vida más allá de la clase de ciencias que les impartía tres veces por semana. Tendría la misma edad que Heriberto y se había rumoreado que era homosexual porque no estaba casado y porque se vestía de forma excéntrica y excesivamente acicalada. Llevaba corbata de pajarita como un profesor de Oxford. A Charlie le dio repulsión pensar que también él se masturbaría. Seguramente mirando porno en Internet.

Pensó que aquel repelente hombre tenía razón. Eso era todo. Una secreción de serotonina u otra sustancia similar, algo así como la carencia de litio que produce los conflictos bipolares; una oleada de hormonas y sustancias circulando por el sistema nervioso, dando órdenes a los músculos, despertando eso que suele llamarse el deseo. Eso era el amor y eso era el sexo.

«¿Hay algo que importe más?» Charlie sonrió al recordar la pregunta de Mimí.

Claro que decir «eso es todo» es decir bien poco, reflexionó Charlie, pues aún le quedaba a él ese violento deseo de gustar a Heriberto, de abrazarle y sentir su deseo correspondido, ese constante masturbarse cada vez que se imaginaba el cuerpo de Heriberto. De nada servía conocer que todo era una cuestión de vibraciones electromagnéticas o impulsos bioquímicos: el hecho es que él estaba sentado en esa terraza consumido por las ganas de follar con Heriberto.

La luz de la luna llena iluminaba con su luz plateada los contornos de los árboles de la colina, llenando la noche de una claridad mágica. Encendió el iPod, buscó el disco de un grupo norteamericano cuyas canciones llenas de melancólicas armonías casaban bien con aquel marco y se arrellanó en la tumbona abandonándose a la contemplación de la escena. De pronto el parpadeo fluorescente de la luz de la cocina sustituyó a la pálida luz de la luna. Apagó el iPod y oyó un grifo que se abría, un abrir y cerrar de la puerta de la nevera y luego un tintineo de vasos. Escuchó los sonidos que delataban los movimientos de alguien yendo y viniendo de la nevera a la alacena, abriendo una botella. Se apagó la luz y el corazón redobló sus latidos cuando oyó chasquear la mosquitera de la puerta de la cocina y apareció la figura de Heriberto en el claro de luna, moviéndose parsimoniosamente hacia la barandilla de la terraza con un vaso en la mano.

Se quedó contemplando la espléndida noche, alzando la vista hacia la luna y las estrellas. Atraído por esa espléndida luminosidad, no se había fijado en el bulto oscuro de Charlie acurrucado en la silla de mimbre, quien, sudoroso y tenso, contenía la respiración admirando la belleza del cuerpo de Heriberto, vestido sólo con su pantalón de deporte.

Charlie sintió un hormigueo en el estómago. Cerró los ojos e imaginó de nuevo el cuerpo de su primo brillando en la noche. Sintió que todo el calor se le concentraba en la polla. La química y la física tomaron el control de la situación. Empezó a sudar y a dejarse llevar por fantasías pornográficas.

«Esta es la oportunidad —se dijo—. Tengo que armarme de valor y tomar la iniciativa. Decir algo, hacer algo. La tía Irene está en casa de la vecina. Estamos solos.» Pero permanecía inmovilizado en la silla, incapaz de reunir el coraje necesario para flirtear como hubieran hecho Albert o Mimí y lanzarse sin más sobre Heriberto fundiéndose en un apasionado abrazo.

Seguían chirriando los grillos y aquel coro era como la música tensa que ponen en las películas cuando se acerca el asesino. El corazón le latía tan fuerte que pensaba que el primo iba a oírlo.

Heriberto, sin haberse percatado de su presencia en la sombra, bajó las escaleras del jardín. El aroma del jazmín se le hizo a Charlie omnipresente, lo envolvía todo con su olor penetrante, introduciéndose en sus venas como un veneno. El calor, el jazmín y los grillos conspiraron para armarle de valor y dejar que el instinto gobernase sus movimientos. Se levantó de la silla, temeroso de que cualquier ruido pudiera romper el hechizo. Desde la barandilla vio al primo de pie con el cuello levantado mirando a la luna. Desde arriba parecía un actor de teatro declamando a solas en un escenario. Charlie se sintió el único espectador en un desierto patio de butacas. Se le pasó por la cabeza lo que iba a hacer como si fueran las acotaciones de una obra de teatro de Federico García Lorca: «Entra el verdugo en escena, brilla la luna, sale el amante».

Bajó las escaleras del jardín y caminó con pasos sigilosos hacia Heriberto, quien seguía con la vista alzada mirando las estrellas. El sudor hacía que el cuerpo de Heriberto refulgiera bajo la luz de la luna. La imagen resultaba irresistiblemente tentadora. Atraído por una fuerza poderosísima, Charlie se acercó a él como un sonámbulo. Había tanta luz que se podían distinguir perfectamente los árboles y los arbustos en la ladera de enfrente.

El corazón le palpitó tan fuertemente cuando se acercó a Heriberto que temió sufrir un paro cardiaco. Al verse a su lado, le agarró por los hombros y deslizó la mano por el slip, tentándole la polla punteada por el vello púbico. El roce de la piel le provocó una excitación inmediata. Le abrazó la cintura como había estado deseando todos esos días, abarcándola con sus brazos, sin pronunciar palabra. Apretando su polla contra las nalgas de Heriberto.

Se quedó quieto unos momentos esperando alguna reacción, pero Heriberto también se había quedado inmóvil. Miles de imágenes se le cruzaron por la cabeza en ese momento, pero todas empalidecieron comparadas con el puro placer de sentir sus dedos sobre la polla de Heriberto respondiendo poco a poco a sus caricias. Heriberto se apartó a un rincón oscuro y Charlie, echándosele encima, forzó su lengua en la boca del primo. Heriberto permaneció rígido, sin terminar de responder a aquel ataque repentino. Charlie sintió tormentas eléctricas recorriéndole el cuerpo y se dejó llevar por aquellas perturbaciones hormonales. Se abrazó a Heriberto y saboreó el gusto acre de su sudor. Era como si la consecución de aquel deseo le transportara a un estado de éxtasis espiritual.

De pronto, se oyó un ruido y se encendió la luz de la cocina, iluminando un cuadrilátero en el jardín. Era la tía Irene, que regresaba de su reunión con la señora Sardá. El abrazo pasional quedó suspendido. Permanecieron en silencio, con el corazón en vilo. Fueron unos segundos en los que Charlie y Heriberto se miraron por primera vez a los ojos, paralizados, flotando en un tiempo eterno. Los ojos de uno sobre los ojos del otro. Charlie se enamoró en el acto de todo lo que aquellos ojos habrían visto. Le hizo una media sonrisa de complicidad que Heriberto respondió enarcando las cejas. Dos gatos corrieron por la tapia del jardín, asustados por el resplandor de la luz, y ese correr felino se llevó el momento mágico. Cuando se apagó la luz, los amantes furtivos siguieron en silencio mirándose a los ojos.

Charlie se arrodilló en la hierba y empezó a chupar la polla de Heriberto, a la vez que masturbaba la suya. Heriberto se dejó hacer. Por fin, Charlie se corrió exhalando un gemido amortiguado.

Intentó seguir succionando, lubricando con su propio semen la polla de Heriberto, pero él le apartó y le levantó

144

cogiéndole por las axilas. Le sonrió con cara de circunstancias, indicando con un movimiento de cabeza las escaleras de piedra. Subieron en silencio a la terraza y pasaron por la cocina hasta el vestíbulo, donde Heriberto le dio un apretón en la mano antes de desaparecer hacia su ático. Charlie subió a su cuarto sintiéndose confuso. Estaba encantado de haber conseguido lo que quería, pero el silencio en el que se había desarrollado la escena y la rapidez de aquella separación le había parecido frustrante.

En la cama empezó a torturarse interpretando la pasividad de Heriberto. Los roles se habían cambiado y Charlie no estaba contento. En sus sueños, él se había imaginado siempre como el joven *Lolito* seducido por Heriberto, pero había sido Charlie el que había dado el primer paso. Eso le inquietó. Le reconcomía también que Heriberto no se hubiera corrido ni se hubiera dejado llevar por la pasión, y también le hacía sentir incómodo aquella interrupción de la tía Irene.

Estuvo en la cama dando vueltas, pensando en qué pasaría a la mañana siguiente, hasta que por fin se levantó el sol por detrás de la montaña y se durmió escuchando los pájaros del alba.

Capítulo 10

El día después

Al día siguiente, Charlie despertó con la sensación de que algo había cambiado en el cuarto. Pasó la vista por los cuatro rincones, pero todo estaba en su sitio: el cuadro de la pared, el armario, la consola y la cortina. La luz que entraba tamizada por la celosía era la misma de siempre. Hacía el calor habitual y la almohada estaba, como cada mañana, humedecida por el sudor de la noche.

Cuando por fin le vino a la cabeza el recuerdo de Heriberto desnudo en el jardín, el corazón le dio un vuelco. Excitado, se levantó y salió a la terraza calzándose las chanclas de goma para caminar sobre las losas rojas que ardían bajo el sol. Miró al jardín desde la barandilla, reviviendo la escena que había tenido lugar allá abajo. A la luz del día, el revolcón con Heriberto le pareció el sueño de una noche de verano. Recordó la luna llena iluminando los pinos sobre la colina y el chirriar de los grillos, sustituido ahora por el canto de las chicharras.

Algún componente electroquímico en el cerebro vino a confirmarle la realidad de lo que allí había ocurrido. Cerró los ojos y evocó el frescor de la hierba bajo los pies descalzos, el olor a jazmín y el cuerpo de Heriberto en el claro de luna. Se sintió a la vez excitado y nervioso por haber dado ese paso decisivo.

Sólo el recuerdo de la tibieza con la que Heriberto había respondido a su asalto le ensombreció la satisfacción que sentía. Volvió al relativo frescor de la habitación, impaciente por enfrentarse cuanto antes a las consecuencias de su acción. Salió del cuarto y se quedó escuchando en el pasillo. Todo estaba en silencio. La casa estaba vacía. Bajó al jardín y escudriñó de nuevo el escenario de la seducción, buscando como un detective pruebas de lo que allí había ocurrido, pero sólo la tortuga de la tía Irene se movía lentamente por el borde del estanque.

De vuelta en la cocina, se preparó café y zumo de naranja y se sentó en una tumbona de la terraza, frustrado por aquella sosegada normalidad que se burlaba de su agitación interior. La espera se le hacía insoportable. Se preguntó cuál sería el comportamiento más adecuado: ¿Volver a la naturalidad de antes? ¿Hacerle un guiño a Heriberto por detrás de la tía Irene?

Por un lado sentía la ilusión de enfrentarse a lo nuevo, por otro el miedo a no saber cómo actuar y, llevado por su torpeza, a estropearlo todo. Lo mejor sería adoptar una actitud impasible y dejar que ahora fuese Heriberto el que mostrase su juego. Él ya había arriesgado bastante dando aquel primer paso. La impaciencia fue apoderándose de él. Subió a su cuarto y se miró en el espejo, encontrando en la contemplación narcisista de su cuerpo una confirmación de su capacidad para seducir a Heriberto. Mimí tenía razón. «A nadie le amarga un dulce», pensó, y, en el esplendor de sus dieciocho años, él era un sabroso bomboncito. Heriberto no le había rechazado. ¿Cómo iba a rechazar nadie un bocado tan apetitoso?

Se sintió un poco más optimista. Lo que había que hacer ahora era tener cuidado para manejar aquello sin escandalizar a la tía Irene. Recordó que había sido la interrupción de su madre lo que había contenido a Heriberto. Decidió ir a la playa para distraerse hasta la hora de enfrentarse a él, pues quedarse mariposeando por la casa era una invitación a que el tiempo se eternizase.

No fue a la cala nudista para no encontrarse con las interrogaciones de Mimí. Era mejor esperar a ver cómo se desarrollaba el encuentro con Heriberto antes de contarle nada a aquella chica tan indiscreta.

Cuando llegó al mar, se zambulló en el agua y nadó hasta quedar exhausto. El ejercicio y el agua fresca le calmaron un poco el nerviosismo. Luego se tumbó al sol y se quedó amodorrado como siempre por el sonido de las olas y el murmullo de las conversaciones alrededor. Pensó en las oportunidades que se abrían a partir de entonces. Se imaginó subiendo por las noches al cuarto de Heriberto y haciendo el amor hasta la madrugada. Tuvo que darse la vuelta para ocultar una embarazosa erección que amenazaba con ponerle en evidencia en medio de aquella playa tan familiar. Finalmente se quedó dormido y, cuando despertó, era ya la hora de ir a comer. Regresó a la casa lleno de expectación.

Al entrar, le recibió un delicioso olor a comida. Fue directamente hacia la cocina, donde la tía Irene estaba ocupada cortando cebollas.

—Hola —saludó Charlie.

—Ah, hola. ¿Estuviste en la playa?

Charlie asintió. Fue hacia la marmita en la que se cocinaba el suculento plato y probó el caldo con un cucharón de madera.

—Mmm... ¡delicioso!

—El vecino pescador me trajo unas sobras de la pesca de ayer, y estoy preparando una caldereta.

—¿Heriberto ha salido? —preguntó Charlie poniendo una voz despreocupada.

—Hoy se levantó temprano y dijo que tenía que ir a Barcelona.

Charlie sintió que el alma se le hundía. Se había levantado convencido de que su osadía le traería como recompensa el fin de aquella tediosa expectación, y le frustró pensar que le esperaba otro día de zozobra e incertidumbre.

—¿Volverá para cenar? —preguntó, intentando adoptar el tono más natural posible a pesar de su gran decepción.

—Con Heriberto nunca se sabe. Ya nos dirá alguna cosa más pronto o más tarde.

La contrariedad de Charlie era tan obvia que la tía se vio obligada a preguntarle:

—¿Le querías para algo?

—No, nada —dijo Charlie negando con la cabeza.

—Salió un poco deprisa, la verdad. A mí también me sorprendió. Pensé que, después de estar ayer todo el día fuera, hoy se quedaría trabajando, pero en fin... Bueno, esto ya está listo, ve sacando los platos a la terraza, ¿quieres?

Durante el almuerzo, Charlie escuchó las historias de la tía Irene fingiendo interés, pero estaba demasiado decepcionado para poder concentrarse en lo que la tía le contaba. Además, se sintió súbitamente desganado. En cuanto pudo, se excusó y se retiró a sestear.

Estaba de vuelta en la casilla número uno, sin saber a qué atenerse, corroído por una incertidumbre aún mayor que el día anterior. Pasó de la euforia matinal a una depresión vespertina. Interpretó la súbita desaparición de Heriberto como una huida deliberada y maldijo la cobardía de su primo. Intentó encontrar una explicación: ¿acaso el miedo a una alianza que se le antojaba incestuosa bajo el techo de su madre?, ¿la necesidad de recapacitar y poner en orden sus sentimientos antes de enfrentarse a la situación?

Charlie podía comprender, más allá de su contrariedad, que no podía serle fácil a Heriberto tener una relación sexual con él. Además de ser familia carnal, tenía menos de la mitad de años que él. Naturalmente, también podía ser que simplemente Heriberto tuviese que haber ido a Barcelona por asuntos profesionales, tal como le había dicho a su madre. Era bien posible que su viaje a Barcelona estuviese planeado de antemano, pues al fin y al cabo eso era lo que había venido a hacer, y no a distraerse con amores inconvenientes. No podía esperar que aquel polvo robado en el jardín le hiciese a Heriberto perder la cabeza y abandonar todos sus compromisos.

Por otra parte, le martirizaba la idea de que había sido él quien había forzado todo aquello y pensar que Heriberto simplemente se había dejado hacer, con desgana. Sentía que había cometido una torpe precipitación y, aunque no llegó a arrepentirse de haberse lanzado al abismo de aquella manera, sí que le produjo una caída en picado de la autoestima.

Heriberto hubiera podido dejarle una nota o llamarle por teléfono. Su silencio indicaba una dolorosa indiferencia hacia él. Charlie se hundió en adolescentes sentimientos de tristeza y soledad. Su único consuelo fue pensar que era tal vez la diferencia de edad lo que había asustado a Heriberto, o que quizás Mimí tenía razón y a Heriberto «le iban» los hombres mayores —los «osos», como ella decía.

Pero Charlie quería explicarle que la diferencia de edad no tenía que interponerse entre ellos. ¿Acaso no es una relación natural la de la experiencia que guía la inocencia? ¿Y no era la ilusión del joven el perfecto complemento al desengaño del adulto?

Esa relación entre el hombre maduro y el hombre joven era mutuamente beneficiosa, la relación más natural. Pensó en las lecciones de física del señor Vilaseca: dos electrones negativos o positivos se repelen y sólo los de signo contrario se unen para crear energía.

Le vinieron a la cabeza ideas disparatadas. Deseó salir corriendo a Barcelona para patearse toda la ciudad, recorriendo hoteles y bares buscando a Heriberto. Necesitaba verle, decirle que todo estaba bien, que no tenía nada que temer.

Sobre las cinco de la tarde la tía Irene empezó a prepararse para salir. Charlie la oyó ir de aquí para allá, recogiendo las llaves, buscando el bolso, hasta que por fin escuchó el golpe de la puerta de la casa cerrarse tras ella. Se asomó a la ventana y la vio bajar por la calle cargando el cesto de la compra. Esperó hasta que dobló la esquina, y entonces subió muy sigilosamente al ático del primo Heriberto.

Abrió la puerta con el corazón palpitándole, medio esperando encontrarle allí echando la siesta. Observó el cuarto desde el quicio de la puerta. Era amplio y con los bordes del tejado llegando prácticamente hasta el suelo. La cama estaba deshecha y en las arrugas de la sábana adivinó la figura de Heriberto. Charlie entró y caminó hacia ella. Se echó boca abajo para respirar el olor de Heriberto en la almohada. Una ola de ardor erótico le recorrió el cuerpo como un calambrazo. Inevitablemente, se masturbó, conjurando imágenes de Heriberto desnudo en aquel lecho. Después de correrse estuvo un buen rato observando la habitación. El armario estaba entreabierto y de una de las puertas colgaban unos vaqueros. Hacía un calor tremendo bajo el tejado a esa hora de la tarde, a pesar de las dos ventanas abiertas de par en par.

En la mesilla de noche había un despertador digital y unos libros apilados de autores que Charlie desconocía. Sobre una cómoda alta había más libros. Unas camisas colgaban de los varales de hierro de la cama. Debajo de la cómoda asomaban los zapatos que Charlie le había visto llevar cuando pasearon por el pueblo la noche de los fuegos artificiales.

Le pareció que todo tenía un aire de provisionalidad. Resultaba evidente que Heriberto no había tenido tiempo para imprimir allí su huella. Era un lienzo en blanco con pinceladas ocasionales de la personalidad de su ocupante.

Al cabo de un rato, se levantó y empezó a curiosear las diferentes superficies. El armario emanaba un perfume como de incienso y almizcle que era a la vez varonil y femenino. Había camisetas de varios tipos: blancas y negras, dobladas cuidadosamente. En el estante de en medio, había una mezcla de prendas: una gorra de béisbol, unos pantalones militares doblados también con meticulosidad, unos vaqueros, pañuelos y una pila de calcetines. Al abrir un cajón de la cómoda se encontró con la ropa interior y no pudo resistir la tentación de quitarse sus *boxers* y probarse los de Heriberto. Se miró en el espejo y se imaginó en la piel de su primo.

Controlándose el impulso de una nueva masturbación, guardó los calzoncillos de Heriberto en el cajón, siguiendo con su curioseo. El calor de la habitación y la excitación hacían que le resbalaran chorros de sudor por el pecho desnudo. En otro cajón de la cómoda se encontró con el pasaporte norteamericano de Heriberto. La foto era de un Heriberto más joven, con el pelo bastante más largo que ahora. Estaba atractivo a pesar de que en esas fotos uno siempre parece un delincuente. La fecha de expedición decía que era de diez años atrás, aunque la foto podía ser anterior. Miró la fecha de nacimiento y calculó la edad, confirmando que Heriberto no le había mentido. Una vez más, sintió el vértigo de aquella enorme diferencia entre ellos.

Repasó las páginas de los visados y vio que había múltiples entradas en México y del aeropuerto de Nueva York. También había varios visados de Tijuana y de muchos otros países. Charlie sintió celos del cosmopolitismo de Heriberto. ¿Cuántos amantes había habido desde que se había expedido aquel pasaporte? ¿Cuántos amantes ocasionales entre Buenos Aires en 1995 y Tijuana en el 2003? ¿Y por qué había cruzado la frontera entre San Diego y Tijuana tres veces en 1999?

En otro cajón había varios libros de notas que Charlie estudió con cuidado. Eran apuntes sobre Dalí y notas bibliográficas que Heriberto debía de usar como preparación para su libro. Debajo de ellos apareció un cuaderno mucho más ajado que los demás. Lo cogió con trepidación, sospechando que se trataba de algo mucho más personal, pero antes de poder abrirlo oyó la voz de la tía Irene y le entró el terror de ser pillado espiando.

Bajó de puntillas a su cuarto, sintiendo que el corazón le iba a explotar de tan fuerte como le latía. Lo guardó en el cajón de su mesilla de noche y se echó en la cama fingiendo leer su libro de Genet.

La oyó luego subir las escaleras. Fue primero a su cuarto y de ahí salió a la terraza, desde donde contempló la vista de la montaña. Cuando se volvió, a través de la puerta abierta, le vio a él leyendo en la cama y se sorprendió.

—¿Ah, estas ahí? ¿No saliste?

—No, me he quedado echando la siesta. ¿Qué hora es?

—Son ya las seis y media pasadas. Me encontré a la sobrina de la señora Sardá y a su amiga. Dijeron que vendrían luego.

—Ah, bueno —dijo Charlie sin mucho entusiasmo, pues lo último que deseaba era ver a las dos comadres y tener que darles explicaciones, soportando sus conjeturas y consejos.

—Esta noche hay un concierto en la iglesia y yo voy a ir con la señora Sardá. ¿No quieres venir con nosotras?

—No, creo que me quedaré leyendo, o a lo mejor salgo con Mimí y Virginie.

—Eso está mejor que venir con dos viejas como nosotras. Bueno, entonces ya te arreglas solo la cena. Hay sobras de esta mañana, como no comiste casi nada... Espero que hayas recuperado ya el apetito.

—Es el calor. Creo que me tiene desganado, pero ahora sí que tengo hambre.

—Bueno, tú mismo. Está todo en la cocina. Ya te lo organizarás.

—Sí, no te preocupes. ...Y el primo Heriberto, ¿vendrá a cenar?

—No, llamó para decir que tiene que quedarse en Barcelona para ver a alguien, así que vamos a estar solos tú y yo por unos días.

Charlie se quedó mudo. Ahora sí que estaba claro que Heriberto quería evitarle. Se levantó, salió a la terraza y se echó en la tumbona. La tía Irene había traído un periódico que Charlie hojeó fingiendo interés. Ella le dejó solo y Charlie estuvo contando el tiempo hasta que por fin se fuera. No quería abrir aquel diario hasta estar seguro de que no iba a ser descubierto. Estaba tan excitado por la posibilidad de conocer los secretos de Heriberto que necesitaba una total seguridad antes de empezar la lectura del cuaderno.

A pesar de la emoción, logró quedarse adormilado. Cuando despertó era ya el crepúsculo. Bajó al jardín y esperó con paciencia a que la tía se fuese por fin a su concierto. La oyó moverse por el piso de arriba arreglándose. Finalmente apareció oliendo a polvos de la cara y perfume de madreselva.

—Me voy. ¿Seguro que no quieres venir? Después vamos a ir a cenar al Pirata. Si quieres, te vienes luego.

156

—No, no creo. Gracias, tía.

Esperó un tiempo prudencial hojeando el periódico y luego, tras asomarse a la ventana para cerciorarse de que la tía Irene desaparecía por la esquina de la plaza, corrió a su cuarto y sacó del cajón el cuaderno de Heriberto.

Capítulo 11

Una noche tormentosa

Una tarjeta postal resbaló al suelo de entre las páginas del diario. En la imagen Charlie reconoció una famosa fotografía de Robert Mapplethorpe: un lirio con el tallo erecto y la corola abierta. Al darle la vuelta, vio que estaba fechada en julio de 1992 en Nueva York e iba dirigida a Heriberto, a una dirección de la misma ciudad: *12 Bleecker Street, 1212 New York, NY.* Más tarde, buscando la exacta localización de aquella dirección en el mapa de Nueva York en un café Internet, descubrió que la calle Bleecker estaba en el famoso Village neoyorquino, corazón del barrio gay de la ciudad, lo cual le despertó visiones de un Heriberto libertino.

Pero si las meras señas despertaron su libresca imaginación, el breve texto que había escrito en la postal hizo que el corazón se le acelerara:

Para Heriberto con mucho cariño. Su perro infiel.
Álvaro.

Como el lirio de Mapplethorpe, la frase mezclaba lo romántico y lo obsceno. La imagen del lirio, la asociación pornográfica de su autor, la enigmática frase, todo parecía cuidadosamente pensado para causar un gran efecto. El hecho de que Heriberto hubiera atesorado aquella tarjeta durante tantos años demostraba que la postal había cumplido su objetivo.

Charlie calculó el tiempo transcurrido desde el mes de julio de 1992, en el que estaba fechada la tarjeta. Fue el año de los Juegos Olímpicos de Barcelona. Entonces él estaba aún en el parvulario. No tenía ninguna memoria de primera mano de aquellos acontecimientos, pero su colegio había participado en la inauguración de los juegos en el estadio de Montjuïc, y en casa había visto infinidad de veces la cinta de vídeo que les habían regalado. También el álbum en el que su madre había guardado las fotos de Charlie y sus compañeros de guardería agitando con descoordinados movimientos las banderolas azules que simulaban el mar sobre el que navegaban unas galeras griegas de papel maché.

Se le hizo raro pensar que, mientras él había estado blandiendo su banderola tan inocentemente, Heriberto había estado inmerso en una relación apasionada con Álvaro, su «perro infiel». La ambigüedad de aquella frase le intrigó.

Era claramente una broma privada entre ellos dos, pero ¿quién era el perro fiel, Álvaro o Heriberto? ¿Y por qué infiel? La respuesta estaría sin duda en aquellas páginas que Heriberto había escrito de corrido. Se sintió impotente frente a un rival cuya existencia en el pasado hacía formidable. ¿Era alto o bajo? ¿Más viejo o más joven? ¿Delgado o gordo? Se lo imaginó como un mexicano de tez morena y labios carnosos, pelo negro y grandes ojos aindiados, y se preguntó si seguiría existiendo en la vida de Heriberto o si habría sido un amante pasajero. «Pero no se guardan tanto tiempo postales de amantes pasajeros», pensó.

—*Álvaro* —dijo en voz alta, intentando imaginar el físico de aquel hombre. Le odió tanto como odiaba aquella fecha lejana que subrayaba la distancia abismal que le separaba de Heriberto. Lo que más le dolía era pensar que Heriberto hubiera vivido tantos años ignorando su existencia, un tiempo en el que él había experimentado pasiones y recibido postales con mensajes eróticos cifrados. Por un lado, era precisamente esa experiencia acumulada lo que más le atraía de su primo, pero Charlie hubiera deseado poder borrar todo lo que Heriberto había vivido antes de conocerle a él.

Le costaba imaginar la razón por la que Heriberto se habría traído aquel manoseado cuaderno en una visita de trabajo como aquella. Una ocasión en la que uno carga con lo más estrictamente imprescindible. Subió al cuarto y volvió a registrar los cajones de la cómoda donde había aparecido el cuaderno, por si hubiera diarios de otros años, pero no encontró nada más que la ropa, el pasaporte americano y los objetos que ya había visto en su primera inspección.

Se preguntó qué tendría de especial aquel mil novecientos noventa y dos para que Heriberto lo hubiera escogido entre todos los que habían transcurrido desde entonces. Cogió el cuaderno y bajó a la terraza, se echó en la tumbona y lo abrió en la primera página.

Cuando yo menos lo esperaba la vida me dio un vuelco. A veces surgen cosas extraordinarias en los momentos y los lugares más impensados. Fue en el bar de Bleecker Street. No lo había visto nunca antes por allí. Dijo que era la primera vez que venía, que estaba con un amigo que andaba perdido por el «backroom». «¿Me ayudas a buscarlo?» Me gustó su descaro y su acento de puertorriqueño del Bronx. ¿Qué dios me lo habrá enviado? ¿Será Álvaro ese gran amor al que tanto me he resistido?

Tras leer esa breve introducción, un vendaval de emociones le galopó desbocado por la cabeza. Sintió celos de aquel joven de bellos ojos oscuros. Además, Bleecker Street, la calle del bar donde había tenido lugar el encuentro de Álvaro y Heriberto, era por supuesto la misma a la que Álvaro había enviado su postal, lo cual delimitaba una geografía en la que poco a poco iba ubicando sus imaginaciones.

Cerró los ojos y visualizó a Heriberto en un apartamento espartano, vacío como las habitaciones que aparecen en los cuadros de Edward Hopper. A primera hora de la noche, cansado de teclear sus historias, Heriberto decide interrumpir el trabajo y bajar a tomar una copa a ese bar local. Con la imaginación, Charlie le sigue como en una escena filmada cámara en mano en una película de John Cassavettes. Heriberto baja las escaleras del apartamento y sale a una típica calle neoyorquina de las de casas de ladrillo rojo y escalera de incendios. Hay ruido de tráfico y nieve acumulada en las aceras, como en la portada del disco de Bob Dylan en la que camina abrazado a su novia, Sue Rotolo. Se oyen voces inconexas de peatones que pasan y se pierden en la distancia. Heriberto sigue calle abajo, las manos en los bolsillos, chaqueta de ante con el cuello levantado. Cruza dos bloques y entra en una escena de *Taxi Driver*. Un taxi amarillo está parado en un semáforo y una chica muy joven, casi una niña, vestida con *shorts* y botas provocativas a pesar del frío, levanta la mano para llamar la atención del conductor. Heriberto continúa caminando y pasa de largo por un bar de grandes cristaleras en el que beben dos hombres con sombrero de gángster y una mujer vestida a la moda de los años cincuenta. Al llegar a un garito que se anuncia con un neón intermitente, Heriberto baja a un semisótano por una escalera angosta.

Charlie se siente como un director de cine recreando todo aquello. Imagina con minuciosa precisión cada detalle del interior del bar, un clásico tugurio en el que se reúne un grupo variopinto de bebedores solitarios. Hay un chapero joven con sombrero vaquero como John Voight en *Cowboy de medianoche* y un tipo patibulario en vaqueros, camiseta blanca ceñida y gorra de cuero como Lou Reed en la portada de *Rock n Roll Animal*. En una esquina de la barra, bajo un anuncio luminoso de cerveza Budweiser, mirando a dos hombres vestidos de cuero que juegan en la mesa de billar, está Álvaro, que se vuelve al ver entrar a Heriberto.

Ahora Charlie cambia de género e imagina la escena como el preámbulo de una película pornográfica. Heriberto va a la barra y pide una Budweiser a un barman corpulento como el que sale en *Querelle* de Fassbinder. El barman le conoce y le saluda con una inclinación de cabeza mientras le abre la cerveza. Heriberto da un trago y pasea la vista por el local fingiendo indiferencia. Su mirada se encuentra con la de Álvaro. Casi imperceptiblemente, Álvaro va progresivamente acercándosele. Se sonríen. Intercambian unas palabras para romper el hielo y al poco desaparecen tras una puerta al otro lado del bar, junto a los servicios, donde hay un pequeño cuarto oscuro en el que se abrazan y se besan apasionadamente, sintiendo las pollas abultándoseles tras la bragueta de los vaqueros.

Heriberto le invita a su casa y Charlie les ve a los dos desandando la distancia entre el bar y el apartamento, transmutados en Jake Gyllenhall y Heath Ledger en *Brokeback Mountain*. Cruzan la calle, pasando de largo el bar de la esquina, donde ahora beben whisky con soda James Dean y Marilyn Monroe.

De vuelta en el apartamento, Álvaro y Heriberto se unen en un apasionado abrazo y los celos de Charlie se vuelven insoportables al imaginar cómo se van desnudando hasta terminar haciendo el amor salvajemente. Nada más lejos de las caricias tímidas que él había conseguido arrancarle a Heriberto.

De pronto, una voz incorpórea le interrumpe la escena imaginada, y Charlie siente que el corazón se le detiene.

—Hola, lector.

Abrió los ojos y buscó en la penumbra crepuscular el origen de aquella interrupción. Al levantar la vista, se encontró con la cabeza de Mimí asomando por la única ventana de la casa de al lado desde la que se podía espiar su terraza.

—Hola —saludó Charlie, esforzándose por recuperar la calma después de aquel sobresalto, temeroso de que Mimí, siempre tan sagaz, pudiese adivinarle en la voz o en el lenguaje corporal la agitación que sentía.

—¿Has estado huyendo de mí hoy?

—¿Yo? ¿Por qué?

—Porque quedamos ayer en vernos en la cala esta mañana para que me contases lo que pasó anoche. ¿No te acuerdas? ¡Vaya plantón que me has dado! Además, me ha dicho un pajarito que estabas bañándote en la playa de las barcas.

Le irritó la falta de privacidad que había en aquel pueblo.

—No tenía nada que contar ni ganas de darle más vueltas al tema. Anoche no pasó nada y esta mañana temprano Heriberto se fue a Barcelona y aún no ha vuelto así que, ya ves, no hay novedades.

Dejó el diario de Heriberto discretamente en el suelo al lado de la tumbona, donde no pudiera verlo Mimí. A ella no se le escapaba nada.

—¿Qué lees? —preguntó.

Charlie no supo si Mimí había encontrado sospechoso aquel gesto que él había pretendido inocente o si la chica sencillamente lo había preguntado por pura curiosidad, pero se alegró de que Mimí estuviese a buena distancia y poder esquivar la mirada inquisitiva de la chica.

—Es mi cuaderno de notas. Apunto aquí tus consejos.

—¡Para el caso que me haces!... Un día me gustaría echarle un ojo a lo que has escrito ahí sobre mí.

—Eso es un secreto que no pienso enseñarte.

—¿Y sobre tu primo, qué has escrito? —preguntó ella con voz sarcástica.

—¡Shhhh! ¡No seas indiscreta! —dijo Charlie.

—¡Vaya jarro de agua fría! ¿No? ¿Cuándo volverá?

—No sé. Parece que se va a quedar unos días.

—Nene, pues vaya plan. ¿Lo ves como tenías que haberme hecho caso y hacer algo rápido?

Charlie se encogió de hombros.

—Se fue esta mañana antes de que yo me despertara.

—Vente con nosotras esta noche a la disco y me lo cuentas todo.

—No hay nada que contar, ya te lo he dicho.

—Bueno, pero podemos planear lo que puedes hacer cuando vuelva. No te queda mucho tiempo, si te vas a finales de mes.

—No importa, estoy resignado. De todas formas, creo que no era muy buena idea.

Se oyó una voz llamar a Mimí desde dentro de la casa, y Mimí se volvió para hablar con alguien.

—He de irme. Virginie y yo tenemos cena con su familia. Nos vemos en la disco. No me falles otra vez. Si no vienes, te vendré a buscar —amenazó.

Charlie no tenía ninguna duda de que lo haría.

—¿A qué discoteca vais? —preguntó para tranquilizarla, aunque no tenía intención de ir. La palabrería de Mimí era lo último que le apetecía oír en esa noche en la que intuía iba a descubrir los secretos de Heriberto.

—Al Chez Magritte, la daliniana que hay en la carretera del camping. Es en la que ponen mejor música, y además el portero nos conoce, pero mejor te vienes antes al chiringuito.

—Ya veré. Antes quiero terminar lo que estoy escribiendo.

—¿Tus memorias, ya tan joven?

—A lo mejor.

Alguien desde el interior debió de volver a insistirle. Mimí se volvió de nuevo y luego le dijo, antes de desaparecer tras la ventana:

—Te esperamos en la disco.

—¿No os espantaré la caza?

—Estoy harta de guiris, me apetece más alternar hoy con un artista nacional. Llevo un mes aquí y este año aún no me he tirado a ninguno.

—Si me asustas, no voy.

—¿Te doy miedo?

—Me produces terror.

Mimí le sacó la lengua a modo de despedida.

Naturalmente, Charlie no fue a la discoteca. El chumbachumba veraniego no podía competir con la emoción de leer el diario de Heriberto. Empezó a hojearlo, incapaz todavía de concentrarse en la lectura lineal del texto. Fue abriendo páginas al azar, dejándose cautivar por la magia de las palabras y su capacidad para evocar lo que había ocurrido en aquel lejano año mil novecientos noventa y dos.

Acarició el diario de tapas gastadas como un talismán, el oráculo que le revelaría el alma de Heriberto. Ni siquiera se preocupó por la posibilidad de que su primo regresara inesperadamente y le sorprendiera fisgoneando de aquella manera.

Después de haber sido abandonado de forma tan desconsiderada, se sentía con perfecto derecho. Allí, entre esas páginas, escrita con letra minúscula, había información que Charlie intuía crucial para comprender a su primo. Pensaba que, si hasta ahora Heriberto había sido un lienzo en blanco sobre el que él había proyectado su deseo, el diario iba a ofrecerle la posibilidad de conocerle de una forma más profunda de lo que jamás hubiera podido imaginar.

Fue saltando desordenadamente de entrada a entrada, demasiado excitado para tener la paciencia de leer cada una. Las entradas seguían un orden cronológico, pero no había otra lógica que esa. A veces Heriberto escribía de forma telegráfica, como de corrido, sin reparar en la gramática o en la correcta sintaxis. Otras veces se explayaba páginas y páginas en un mismo día. Había días sobre los que sólo había apuntado detalles impresionistas; otros sobre los que apenas había escrito nada. Luego, de pronto, pasaba a entradas largas, llenas de información, como si se hubiera forzado a llevar la cuenta de todas sus actividades.

Una entrada atrapó su atención:

> Brusca y definitiva me llegó la noticia. Álvaro ha muerto. Las posibilidades no cumplidas, el azar no usado. El miedo a la nada. Un año es mucho tiempo y no es nada. Como niño al que le quitaron el juguete favorito.

Charlie cerró el diario. Las palabras *muerte* y *Álvaro* escritas en la misma frase se le quedaron danzando en la cabeza como una música machacona. Si la primera entrada le había despertado celos, esta última le dejó perplejo. La muerte de Álvaro introducía un elemento angustioso.

Ahora no sólo tenía que enfrentarse a un recuerdo, sino también a un fantasma. Ávido por conocer la secuencia de eventos que había llevado desde aquella entrada inicial tan exultante al drama final, fue buscando detalles sobre aquel desenlace inesperado.

Los últimos días antes de la muerte de Álvaro se volvían caóticos. Días de hospitales y médicos. Heriberto no podía escribir ni trabajar. Se pasa los días en el hospital. Charlie fue saltando atrás en el tiempo hasta hallar, destacado en mayúscula, el familiar acrónimo: SIDA. Si hubiera tenido cáncer o muerto de accidente, Charlie no habría experimentado el mismo choque emocional, pero la aparición de una enfermedad tan asociada al sexo y a un estilo de vida «de riesgo» de alguna manera le hizo sentir de nuevo inmaduro, transformándolo otra vez en aquel niño ingenuo que había agitado su banderola en los Juegos Olímpicos. Heriberto había estado sufriendo en el hospital, cuidando a Álvaro hasta la muerte, mientras él había ido y venido del parvulario, jugando con la Mercè y el Pere. Sintió nuevamente que un abismo se abría entre ellos dos.

Y tras aquella experiencia traumática, pensó Charlie, Heriberto había continuado viviendo, recomponiendo en soledad los pedazos de una vida hecha añicos. Cogió el cuaderno y subió al cuarto de Heriberto, donde se echó en la cama, imaginándose abrazado a él, besándole y frotándose contra su cuerpo.

Terminó masturbándose y después se quedó adormilado, hasta que le despertó el ruido de la tía Irene al regresar de su *soirée* con la señora Sardá. Bajó corriendo a su cuarto y, abrazado al diario, volvió mentalmente al bar de la calle Bleecker, en el que se había iniciado aquella trágica historia de amor. Imaginó a Heriberto, cansado de las antiguas certezas que hasta entonces habían guiado su vida. Imaginó que, en el momento en el que había conocido a Álvaro, estaba ya aburrido de ser un predador solitario. Ya no encontraría placer en la sucesión de relaciones furtivas con amantes de una noche, despreciando el amor *straight*. Después de vivir tantos años como un lobo solitario, Heriberto se empezaría a sentir mayor. El sida, esa plaga que en menos de un año iba a terminar con la vida de Álvaro, tendría a los neoyorquinos aterrados. Las víctimas se multiplicaban y el miedo iba apoderándose de aquellos antiguos hedonistas, forzándoles a replantearse la legendaria promiscuidad de los años setenta.

Pero los viejos hábitos son difíciles de abandonar y Charlie imaginaba que, la noche de su encuentro con Álvaro, Heriberto habría entrado en aquel bar de escenografía americana siguiendo la inercia de un viejo comportamiento que se resiste a desaparecer, regodeándose en su soledad y en el placer de estar todavía vivo, rodeado de aquellos hombres solitarios y asustados como él. Tal vez hubiera tardado bastante en pasear la mirada por los rincones oscuros del bar hasta dar con Álvaro, un puertorriqueño de pelo rizado y labios carnosos, joven escapado de un gueto hispano, huyendo de la homofobia y de un pasado de abusos sexuales.

Así imaginó ahora al tal Álvaro, un trasunto de sí mismo pero con literatura americana de por medio y con fondo de las malas calles de Nueva York. A pesar de la sombra amenazante del sida, le atraía aquel ambiente de decadencia que había ido recreando mentalmente, con imágenes de viejas películas de Al Pacino o Robert de Niro. Sintió una nueva erección al imaginarse a Heriberto penetrando a Álvaro en el cuarto de Bleecker Street.

En su duermevela, Charlie se veía transmutado en aquel Álvaro provocativo que había ido al bar buscando aplacar un deseo que no podía vivir con naturalidad en su barrio latino. Ve cómo se acerca a Heriberto en la penumbra del bar, le aborda con una frase seductora y le invita a una copa.

La coincidencia de ser los dos hispanohablantes les daba ocasión de desarrollar la conversación. Hablarían de los gringos neoyorquinos, de cómo no saben vivir ni disfrutar de la vida ni nada, y se congratularían en la hermandad latina, que está por tomar pronto la delantera de las minorías en ese gran país. Y de que el futuro es nuestro, y Álvaro le miraría pensando que ese gringo latino era bien raro, aunque seguramente atraído ya por esos músculos y esas facciones que eran las mismas que habían cautivado a Charlie al llegar al pueblo ese verano. La noche habría seguido con más cervezas y, envalentonados por la charla, se habrían besuqueado y tentado, uniéndose a los otros hombres que se amaban en los rincones oscuros del bar, hasta que Heriberto le habría invitado a ir a su cuarto.

De nuevo los celos insufribles se apoderan de Charlie en la noche calurosa al imaginar ese encuentro que, a diferencia del que él había forzado en el jardín de aquella casa de veraneo, había sido un polvo con todas las de la ley.

A partir de ahí, imaginaba Charlie, habrían iniciado una relación que habría sido la de maestro y pupilo que él deseaba tener con su primo. Una vida de visitas a museos, teatros y fiestas. Hasta que, un malhadado día, Álvaro empezase a perder peso y a sentir náuseas. Heriberto lo habría llevado al hospital, donde le habrían hecho todo tipo de pruebas hasta diagnosticarle el virus. Charlie le veía junto a la cama del hospital sufriendo la angustia de ver cómo avanza la enfermedad, preguntándose si él sería el siguiente en sucumbir a tan terrible muerte.

Estos pensamientos se le mezclaban como en una pesadilla. Afuera, el tiempo empezó a cambiar. Se levantó un fuerte viento y se oyó un portazo en algún lugar de la casa. Se desató una tormenta de verano que, con gran furia de rayos y truenos, le hicieron pensar, como siempre le hacían pensar las tormentas, en las noches en las que su madre le había dejado dormir en su cama y se había quedado dormido sintiéndose protegido mientras oía los truenos y el golpeteo de la lluvia contra la ventana. Era una protección que ya nunca existiría. Se sintió abandonado, poseído por una lastimosa autocompasión. Cerró la puerta del balcón de su cuarto en el momento en el que un rayo iluminó con su luz fantasmagórica la pineda, y se acurrucó en la cama escuchando la lluvia amortiguada al otro lado del cristal.

Capítulo 12

Vida y literatura

Tras la tempestuosa noche, el día amaneció espléndido. Al despertar, Charlie se encontró tan sereno como luminosa era la mañana. Las febriles imaginaciones nocturnas habían tenido un efecto catártico y se sentía como recién aligerado de una pesada carga. Con toda la fuerza de su juventud, se propuso apartar los delirios nocturnos que la lectura del cuaderno de Heriberto le había suscitado. Agarró el diario que yacía junto a la cama y lo guardó en el cajón de la mesilla, determinándose a vivir un día sin hacerse pajas mentales. Si, dondequiera que estuviese, Heriberto podía ignorarle, igualmente podía hacer él.

Al bajar a desayunar se encontró con la tía Irene recién llegada del mercado, distribuyendo alimentos en las alacenas.

—Buenos días. Te levantaste pronto, sobrino. ¡Vaya tormenta inesperada anoche! ¿Dormiste bien?

—Regular. Cerré el balcón y esta mañana estaba empapado en sudor.

—Sí, la tormenta no refrescó nada. Volvió el calor como si nada pero, bueno, mira qué día tan precioso. ¿Irás a la playa?

Charlie asintió. Se sirvió un cuenco de cereales y salió a la terraza. La lluvia de la noche había disipado la calima, intensificando los colores y los aromas del monte. El azul del cielo y el verdor de los pinos le reforzaron el incongruente optimismo que sentía.

—Hoy cocinaré arroz negro —dijo la tía Irene sentándose junto a él—. En la pescadería había sepia, y encontré en mi libro de cocina mediterránea la receta para hacerlo.

—Súper —dijo Charlie—. Se me hace la boca agua.

—Muy bien. ¡Me alegra que hayas recuperado el apetito!

Charlie se despidió de ella y corrió al cuarto a preparar las cosas de playa. Se puso el traje de baño mirándose en el espejo. Le gustó la imagen de vigorosa salud y el tono bronceado que había conseguido. Tras los días de ocio playero, ya había ido perdiendo el color del invierno que tanto le disgustaba.

Dio unos pasos de baile, se alborotó el pelo con la mano e hizo unas muecas frente al espejo, sintiéndose lleno de energía juvenil. Pensó que Heriberto era idiota haciéndole ascos a un cuerpo tan estupendo, e inmediatamente se mordió la lengua, castigándose por haber roto tan pronto la determinación de olvidarse temporalmente de su obsesión por el primo. No quería estropear aquel bienestar repentino volviéndose a torturar con tristes reflexiones.

Sacó el diario del cajón donde lo había guardado y lo escondió en el fondo del armario, por si acaso a la tía Irene le daba por ponerse a curiosear. El diario se le escapó de las manos y fue a caer al suelo, abierto en una página del mes de septiembre de mil novecientos noventa y tres. Al agacharse a recogerlo, la vista se posó en una frase:

> Después de la tormenta amaneció un lindo día de otoño. El aire está tan limpio que la luz hiere la vista.

Le sobresaltó la coincidencia de las condiciones meteorológicas de aquel día otoñal y la mañana que él estaba viviendo tras la noche de tormenta en la Costa Brava. Salvando las distancias de espacio y tiempo, las palabras de Heriberto se correspondían precisamente con sus sentimientos. Olvidándose de su determinación, continuó leyendo:

> Me desperté cansado y fui a comprar pan a la *bakery* de la calle Horacio, sintiéndome como un ánima en pena al caminar entre la gente. La luz entra radiante por los cristales sucios de polvo. Oigo crujir las tablas en el apartamento de arriba. A todo se acostumbra uno, pero yo no quiero acostumbrarme a esta ausencia porque, mientras sienta el dolor, Álvaro vive. Después ya no quedará nada. Corto es el amor, y bien largo es el olvido.

Charlie había leído los poemas de Pablo Neruda hasta sabérselos de memoria, e identificó la cita que hacía Heriberto a la «Canción desesperada». Cuando tenía catorce años había dado con ese libro en la biblioteca y se había sentido conmovido por la terrible desolación de aquellos versos.

Siguió leyendo:

... Cuando me toque a mí, ¿quién se ocupará de mí en esta ciudad desalmada? Terror de morir solo.

La frase fue como una nube negra que de pronto oscurece el sol. Charlie arrinconó su propósito de olvidarse de Heriberto y se le desvaneció la alegría con la que se había levantado. Le volvieron a la mente las historias que había imaginado en la noche enfebrecida. Sintió que le sobrevenía de nuevo una oleada de celos hacia Álvaro, cuya muerte había dejado a Heriberto tan abatido. Sentía al mismo tiempo terror y compasión por todo lo que aquellos dos habían vivido, y no deseaba otra cosa que reunirse con Heriberto para abrazarle y poder ofrecerle consuelo.

Introdujo el diario en el bolsillo de la mochila y, tomando la bicicleta que había en la bodega, pedaleó hacia la playa de las barcas, buscando una vez más la soledad que le permitiera abandonarse a la lectura del diario sin interrupciones.

El mar y el cielo competían por mostrar el tono azul más intenso: el cielo azul turquesa, el mar azul de Prusia. Al otro lado de la bahía casi podía contar los árboles en las montañas, distinguiendo entre ellos las torres del viejo monasterio.

Tumbado al sol, Charlie volvió a abrir al azar el cuaderno de Heriberto:

> Álvaro llamó. No vendrá esta noche. Nieva. La
> ventana empañada no me deja ver qué pasa en el
> apartamento de enfrente, donde me parece intuir una
> escena de amor, ¿o es tal vez la proyección de mi deseo
> reflejado en el cristal?

La entrada estaba fechada en febrero de 1993. Álvaro
todavía vivo. Charlie siente el vértigo de jugar a ser Dios y
dominar el tiempo, yendo del pasado al futuro y del futuro
al pasado. Como en una novela. Charlie recompone mentalmente las piezas del puzle que es la vida de Heriberto.

> ... cuando ya me parecía haberlo dominado y estaba yo
> conforme, contento con mi agridulce vida de asceta,
> entonces aparece él, Álvaro, y me seduce con su canto
> de sirena perversa, invitándome hacia el naufragio
> cierto, lo sé, pero eso no impide que me deje llevar
> por su sonrisa de sátiro. Me excita. Quiero fundirme.
> Desaparecer. Morir tal vez.

Eso estaba escrito al principio del diario. La relación es
la de dos amantes que acaban de conocerse y sondean la
profundidad de la relación recién iniciada. Todavía no sabe
Heriberto que en agosto del año siguiente Álvaro ingre-
sará en el hospital, ni que en diciembre él, Heriberto, estará
de nuevo solo y que esa muerte metafórica que menciona
va a convertirse en algo real y terrorífico.

A Charlie le conmueven las palabras que Heriberto
escribió sin saber lo que el futuro traería. Incapaz de imaginar no sólo que ese amante al que tanto deseaba iba a
morir bien pronto, sino también que él mismo iba a encon-

trarse tantos años después todavía vivo, más viejo de lo que nunca pensó que sería, hospedado en un pueblo mediterráneo donde sería asediado por un primo que se le ofrecería en una noche de luna llena.

Cerró el diario, lo guardó en la mochila y se lanzó al agua de una zambullida. Buceando en las aguas transparentes, admira ese mundo subacuático y silencioso en el que sólo escucha su propia respiración contenida. Ve las rocas del fondo cubiertas de erizos a medida que avanza moviendo los brazos y se deja llevar por el frescor acuático.

Flotando en medio del mar, escucha los ruidos que llegan de la playa. De pronto le asalta una revelación; el poder de aquel diario, la fascinación que le produce, va más allá de aquello que le descubre sobre Heriberto.

Aquel diario, reflexionó mientras daba brazadas de vuelta a la orilla, le revelaba el poder de la palabra escrita para vencer a la destrucción y la muerte. Sintió, quizás por primera vez en su vida, el verdadero poder de la literatura, aquella disciplina que había elegido estudiar en septiembre sin saber muy bien por qué o para qué. Como un ciego de nacimiento que recobra súbitamente la vista y se queda deslumbrado por el poder de la luz, Charlie comprendió el verdadero significado de lo que había regurgitado mecánicamente una y otra vez en sus exámenes de literatura: que la palabra escrita devuelve a la vida lo que el tiempo destruye.

Le había gustado siempre leer y había disfrutado las clases de su profesora de literatura, con sus historias y análisis de vidas ajenas, pero nunca se había tomado en serio la teoría literaria. Su disfrute de la lectura siempre había dependido del argumento de la obra o la capacidad de un autor para describir sentimientos y emociones con las que él podía identificarse. Sin embargo, la lectura del diario de Heriberto le había descubierto algo que iba más allá de él mismo: era el mero ritmo de las palabras lo que importaba, más allá del significado que uno pudiera atribuirles. Recordó algo que un día dijo en clase la *profe* de literatura, la Rosselló: «La literatura es un diálogo con los vivos y los muertos. Gracias a la literatura entablamos amistad a través del tiempo y el espacio con gente como nosotros. Es una ventana a la psicología y a la mente de los otros tanto como una ventana abierta a la nuestra. Nos ayuda a conocernos y a perfilar nuestros sentimientos haciéndonos más receptivos a la realidad circundante. Nos aleja de las necesidades cotidianas haciéndonos más divinos».

Esas palabras, que él había repetido más o menos textualmente en un examen en el que la Rosselló le había dado la nota máxima, adquirieron ahora todo su profundo significado.

El diario de Heriberto fijaba un tiempo que ya había desaparecido. Mediante la lectura de lo que Heriberto había escrito a vuelapluma, Charlie había logrado resucitar a Álvaro y conocer a Heriberto más allá de lo que la discreción de su primo le hubiera permitido. Las palabras escritas por su primo tantos años atrás le transportaron mágicamente a la mañana neoyorquina, con su olor a pan recién horneado y la luz melancólica atravesando la ventana polvorienta. Una mañana que, como cualquier otra mañana, había estado destinada a perderse para siempre en el olvido.

Charlie intuyó entonces que ese descubrimiento suponía una transformación tan profunda o más que el descubrimiento de la fuerza del deseo aquella noche en la discoteca gay.

Salió del agua, se tendió al sol y se quedó escuchando el rumor de las olas y las voces de unos niños que correteaban por la orilla. Poco a poco la conversación de dos mujeres fue imponiéndosele sobre todos los demás ruidos.

—El Pepe me compra siempre un frasco de perfume de agua de Rochas. Es lo mejor. La Nuri dice que está ya pasado de moda, pero yo soy muy clásica, nena.

—¿Fuisteis al tenis ayer? —preguntó la voz gutural de su compañera.

—No. Hace demasiado calor para correr por las pistas. Salimos en el barco por la mañana y luego echamos la siesta. Por la noche íbamos a ir al casino, pero como dijeron en el telenoticias lo de la tormenta, nos dio pereza coger el coche y al final nos quedamos en casa. Hice unas sardinas a la brasa que compré en ca la Teresa y, como estábamos solos el Pepe y yo porque los niños habían salido, nos abrimos una botellita de Moët & Chandon y nos comimos las sardinas con champán francés. ¡Mira tú!

—¡Oh, qué bueno! A mí que no me digan, pero como el champán-champán no hay nada. Que me dejen de cavas.

—¡Ah, no, que hay cavas muy buenos, nena! No, no. Yo en esto no es que sea nacionalista, es que el cava me parece tan bueno como el que más.

Charlie escuchó como a través de un sueño la trivialidad de sus palabras, que contrastaba con la gravedad de lo que Heriberto había registrado en su diario.

En un instante todo cambia. Un día estamos caminando por Central Park con todo el futuro por delante y al siguiente estamos en el Hospital Presbiteriano. Un día Álvaro está vivo y riéndose de los chistes del periódico y al siguiente está en coma en el suelo de la cocina. ¡Todo fue tan rápido...! La ambulancia. El médico. La depresiva salita en la que hojeo folletos sobre prevención de enfermedades...

Charlie cerró el diario haciendo suya la angustia de Heriberto. Imagina la llamada a los servicios de urgencia, la carrera desesperada en medio del tráfico denso de la ciudad. Conjura películas y viejas fotografías de Nueva York. Las calles con gente sentada en los portales, las escaleras de incendios. El calor sofocante y húmedo, las mujeres hispanas con sus *shorts* y sus camisetas de tirantes. Charlie imagina la angustia de Heriberto en aquella salita de espera de un hospital neoyorquino y le vienen a la cabeza unos versos de García Lorca aprendidos para un examen de la Rosselló: «La aurora de Nueva York gime / por las inmensas escaleras / buscando entre las aristas / nardos de angustia dibujada».

La voz de la señora parlanchina sigue dale que te pego hablando con su compañera, ignorando la emergencia en la que está inmerso Charlie a pesar de su aspecto relajado, estirado en su toalla frente a un mar en perfecta calma. Charlie sonríe por la superposición incongruente de lo trágico y lo cómico.

—Lo que se ha de hacer con calma es el *suquet*. Pepe quiere que le cocine uno, pero yo ya se lo tengo dicho, que yo estoy de vacaciones y no cocino, que me saque a cenar al Bogavante o a la Marina. Yo, en vacaciones, no hago nada.

—No, yo tampoco cocino. Cada noche vamos a un restaurante. Cueste lo que cueste. Ya le digo que, si él está de vacaciones en la oficina, yo lo estoy de mi cocina. ¡Ja, Ja!

Charlie imagina a esas señoras que hablan tan intrascendentemente sufriendo un percance inesperado y devastador. El marido que se ha ahogado en alta mar. El niño que, recogiendo conchitas, se resbaló en las rocas y se abrió la cabeza. Corriendo, corriendo. Todo cambia en un instante.

Una vez, de pequeño, su madre le llevó al hospital de urgencias por una apendicitis. La sala estaba llena de gente. Entonces no había pensado nada en particular: había aceptado todo aquello como algo natural en la vida. Para eso estaban las salas de urgencias. En ningún momento había temido por su vida, aunque luego le explicaran en el colegio que una apendicitis puede matar a cualquiera. Era ahora en el diario de Heriberto cuando las cosas se le presentaban en toda su dramática provisionalidad. ¿Cuántas de aquellas personas que esperaban su turno en urgencias habrían muerto ya? Era un pensamiento más terrorífico que el de cualquier película de horror que hubiera visto nunca.

Llegó el médico y el trabajador social. Me dijeron que Álvaro ya murió. Me entregaron una bolsa con su ropa, su reloj de pulsera, la cartera con documentos y un fajo de billetes. ¿Es usted familia?, preguntó el médico. Yo dije que sí. Me llamaron a un taxi y ahora estoy en el apartamento con su cartera y unos billetes de banco. Setenta dólares, unas tarjetas del banco y unos recibos de compras. Eso es todo lo que queda de Álvaro.

De nuevo se oye la voz de la mujer.

—El mejor restaurante del pueblo para mí es el Ca l'Anita. Es un poco incómodo con esas mesas tan ajustadas y esas barricas de vino, pero el pescado es donde lo hacen mejor, ¡de lejos!

—Sí, el otro día lo leía en *La Vanguardia*, que es el mejor de la Costa Brava. Vienen hasta de Francia para cenar los ñoquis con gambitas y pulpitos en su salsa.

—Nosotros somos muy amigos del dueño, el Jordi, porque él es de aquí de toda la vida y el Siscu lo conoce desde que era pequeño.

—¿Ah, sí? Pues yo pensaba que era de Barcelona. ¿No tenía aquel restaurante antes en Gracia, allá por la Vía Augusta?

—El «Xaloc», sí, sí. Lo abrieron en Barcelona hace muchos años, pero ya cerró. Él es que estudió cocina en la academia esa tan buena que hay en Sant Pol. ¿Sabes la que te digo?

—Sí, ya sé. Dicen que es muy buena, esa, ¿no?

—¿Buena? Es la mejor de España, si no de Europa. ¡Tienen estudiantes de todo el mundo!

Su cháchara puntuaba la tragedia de aquel diario. Heriberto recién enviudado como quien dice, solo en un apartamento con una cartera y unos billetes arrugados. ¿Qué hizo con ese dinero? ¿Tenía familia Álvaro? ¿Qué sucedió después? ¿Qué terrores asaltaron a Heriberto esa noche, sabiendo que dentro de él su cuerpo también guardaba la semilla de la destrucción?

Charlie hojea nerviosamente las páginas del diario en busca de respuestas. Busca detalles concretos sobre él, algo sobre su edad y su aspecto físico, pero Heriberto tiene tendencia a entregarse a elucubraciones poéticas y allí no hay ningún detalle que pueda ayudarle a crearse una imagen de Álvaro.

> ... estábamos paseando por Central Park después de un polvo de tarde en mi apartamento, Álvaro me dijo que no tenía familia en Nueva York. Yo le había estado insistiendo para que me contara cosas de su pasado esa tarde, y sin yo preguntarle nada me hizo una confesión: «No tengo familia en Nueva York». Dijo que había nacido en Queens, pero que su familia estaba en Miami.

—Mira, ahí está el Fransiscu —interrumpió la amiga antes de que la otra tuviera tiempo de proseguir su exaltación de las virtudes culinarias catalanas.

—¿Sí? No, no, no lo es. El barco del Siscu tiene la barandilla de madera, no de metal —dijo escudriñando el mar.

También Charlie levantó la vista y vio a dos hombres saludando en la cubierta.

—Sí que lo es —insistió la parlanchina saludando—. ¿Lo ves?, ya te lo he dicho. Yo tengo muy buena vista.

Charlie abrió otra página al azar, seleccionando inconscientemente una hacia el final del diario.

> Hoy fui a tirar las cenizas de Álvaro en Central Park. No soportaba más tenerlas en la estantería dentro del siniestro tarro de plástico del crematorio. Era de noche. Fue un impulso. Las esparcí en el camino que suelo tomar cuando voy a pasear en primavera junto a los parterres de flores...

—Mira, mira, es el Siscu, que nos saluda. ¿Y quién es el que va con él? ¿Es el Miquel? Me pienso que sí.

—Ah sí, es el Miquel. Qué bien. ¿Dónde lo habrán encontrado? Mira, nos hace señales de que van a atracar.

—¡Adéu, adéu!

—¡Miquel, Miquel!

Regreso de México y me encuentro con Álvaro esa misma tarde. Sentí aprensión de que no me quisiera ver, de que la ausencia fuese el olvido, y temía encontrarle cambiado. Le hablé de mamá y de papá. Álvaro tiene ese lado hosco de los latinos de Nueva York. Si le pregunto algo, nunca sé por dónde me va a salir. Me lo merezco por todas las veces que yo he tratado así a mis amantes.

«Por todas las veces que yo he tratado así a mis amantes», se repitió Charlie. ¿Cuántas veces? ¿Con quién? De nuevo poseído por los celos de algo imposible, de una vida que no había vivido pero que le despertaba un deseo de saber, aunque mientras más sabía más se desesperaba, pues el conocimiento sólo servía para agrandar la enorme brecha que había entre ellos, un vacío imposible de llenar.

¿Quiénes eran aquellos amantes a los que Heriberto había «tratado así»? Charlie llena esos vacíos con un esfuerzo de la imaginación. ¡Se llevaban tantos años de diferencia...! Años en los que Heriberto había estado follando, viajando, llenándose de experiencias y viviendo aventuras. Todo antes incluso de que Charlie hubiera siquiera aparecido en este mundo.

Era absurdo sentir celos de un pasado tan lejano. Sin embargo, ese era el efecto que le producía leer el diario, la sensación de que no había ninguna posibilidad de encuentro entre ellos, la frustración de que Heriberto se le escapaba en la imaginación y que, por más que imaginase, nunca llegaría a saber todo lo que había vivido en sus cuarenta y pico años. La literatura acerca la realidad, pero es la realidad reconstruida por el lector. Lo que hay escrito adquiere una verdad nueva, diferente a lo que sucedió.

El vértigo de estas consideraciones le hizo sentir una gran confusión. Pensó que él estaba al principio de la vida. Acababa de empezar. Hacía poco que había perdido la virginidad, poco menos de dos semanas atrás, y tenía mucho tiempo por delante.

Escuchó a las dos mujeres, quienes habían abierto una revista de cotilleos y estaban repasando las fotografías y haciendo comentarios mordaces sobre las famosas que aparecían en ella:

—No sé cómo se atreve a seguir posando así en biquini en plan tía buena a sus cuarenta y cinco años. Ya no está para eso.

—Sí, pero ¡como va al gimnasio!, la verdad es que está bastante bien conservadita para su edad.

—Se ha operado todo, ésta, nena.

—Sí, ¿verdad? El pecho desde luego.

—No se nota que haya tenido dos hijos.

—Mira, esta sí que tiene buen tipo, ¿no encuentras?

—Sí, pero esa es joven todavía, y la verdad es que para lo jovencita que es tampoco tiene tan buen tipo.

—Es la que salía en la última película de ese director de Madrid. ¿Cómo se llama?

—Sí, es ella. Yo tampoco me acuerdo del nombre ahora, pero sé quién dices, la de la película que le envía un mensaje y...

—Sí, sí. Esa.

—Qué miedo pasé.

—¿Y esta? ¿Quién es esta? —dijo la otra dándole vuelta a la página. ¡Qué vaca paca!

—¿A ver? Ah, sí. ¿No la conoces? Esta es la que sale en la Tevetrés por las tardes.

—Ah, ya sé. Sí. No la había conocido así, en pelota picada. Pues no está mal, porque ella también debe de tener ya nuestra edad.

—¡Hala, nena! ¡No seas burra! Esta es mucho más joven también.

De pronto, una voz familiar interrumpe la conversación de aquellas frívolas mujeres.

—Hola.

Era Mimí otra vez. Charlie pensó que empezaba a ser ridículo encontrársela cada vez que estaba él abandonado a sus reflexiones.

—Hola —respondió, intentando recomponerse del sobresalto mientras discretamente guardaba el cuaderno en su mochila.

—¿Ves cómo yo sí tenía razón? Vienes aquí huyendo de nosotras —dijo Mimí poniendo de broma una voz dolida.

—No seas tonta. Claro que no te huyo, pero tú, ¿cómo por aquí? Nunca te había visto en esta playa.

—Es que con la tormenta de ayer ha venido una marea de medusas a la cala nudista.

Mimí le miró a él y al diario que había ocultado en su bolsa.

—Ayer no viniste a la discoteca —continuó—, y hoy estás en esta playa de incógnito. Perdona si pienso que me estás evitando, chaval.

—Claro que no —protestó Charlie—. Vengo aquí para estar solo, porque me gusta leer y escribir sin que me interrumpan. Pensaba ir a buscarte hoy para ver si hacíais algo esta noche. Es que anoche no me apetecía. De verdad. Estaba cansado y quería leer. Además, se levantó ese viento y parecía que iba a haber tormenta. ¿Vosotras fuisteis a la disco?

—No, al final vinieron los holandeses a mi casa y se montó una fiesta. Te perdiste una buena. Había muchos chicos guapos —dijo con un guiño.

—Bueno, entonces me alegro de no haber ido a espantaros la caza.

—Te estuve esperando. Quería hablar contigo. Me tienes intrigada con el asunto que ya sabes.

Charlie rió.

—Ya te dije que se ha ido a Barcelona y que por lo tanto no ha pasado nada. No hay novedades.

—¿Y cuándo volverá?

—Pues no lo sé.

—¿No te ha llamado?

—No.

—¿Y no hiciste nada la otra noche?

Charlie se quedó en silencio. No quería mentir, pero tampoco se sentía con ganas de confesarse en aquel momento. Negó con la cabeza en un gesto de calculada ambigüedad, y para confirmar añadió:

—No avancé nada, no.

Era una forma inteligente de salirse del paso. Mimí lo dejó pasar y tragó el anzuelo, o al menos eso quiso demostrarle por el momento.

—Esta noche sí que iremos a la discoteca. No puedes negarte. Si no vienes, sí que ya me lo tomaré a mal y pensaré que no me quieres ver.

Charlie consultó su reloj en la mochila y en ese momento salió el diario de Heriberto. Mimí, que ya se había percatado de la rapidez con la que Charlie lo había ocultado al ser sorprendido, lo miró burlona.

—Un día te lo robaré. ¡Tiene aspecto de ser un pergamino!

—Es que lo llevo a todas partes.

—Bueno, esta noche hablamos.

—No sé si en la discoteca se podrá hablar mucho —dijo Charlie—. Normalmente son sitios más bien ruidosos.

—Ya buscaremos un rincón tranquilo.

Virginie regresó del mar.

—*C'est super, Mimí. Tu ne te baignes pas?*

—*Non, je ne veux pas faire l'espectacle de la grosse dans l'eau!*

Charlie se despidió de las dos chicas con dos besos, prometiéndoles que esa noche sí saldría con ellas.

—¿Te pasamos a recoger?

—No, quedamos en el chiringuito.

—No, que no vendrás, que ya sabemos que eres un maleducado. ¿Verdad, Virginie?

—El chico quiere hacerse el misterioso —dijo Virginie echándose en la toalla.

Cuando se iba, Charlie miró por última vez a las dos mujeres, que estaban ahora en silencio, tumbadas como dos momias con los tirantes del biquini sueltos. Sonrió al recordar su banalidad y su obsesión por los signos de estatus social.

Capítulo 13

Planes

Pasaron unos días sin tener noticias de Heriberto hasta que por fin, mientras preparaba el almuerzo, la tía Irene le anunció que había llamado.

—¿Qué dijo? —preguntó Charlie, esforzándose por ocultar la sacudida que le provocó la noticia.

—Quería hablar contigo. Pidió el número de tu celular, pero yo no lo sé, así que le dije que ya le llamarías tú luego.

Mientras él ponía la mesa en la terraza, la cabeza se le fue en especulaciones sobre la llamada. Pensó que seguramente Heriberto era consciente del sufrimiento que le causaba su silencio. Su furtiva desaparición era cruel.

Charlie creía que le debía una explicación. Bien mirado, por lo que Heriberto sabía, él podía haber sido uno de esos adolescentes con baja autoestima que se suicidan al menor desengaño amoroso, en cuyo caso Heriberto habría tenido que apechugar para siempre con el remordimiento.

Mientras iba y venía de la cocina a la terraza trayendo cubiertos, vasos y botellas, se dejó llevar por pensamientos morbosos, saboreando la culpa que atormentaría a Heriberto hasta el final de sus días de haber aparecido él colgando del manzano del jardín. Se sumergió en un océano de autocompasión, recreándose con gusto en el terror de Heriberto, las lágrimas que derramaría y los párrafos atormentados que escribiría en su diario lamentando su insensibilidad.

Durante el almuerzo, la tía intentó hablar, como era su costumbre, de sus años de bailarina, pero Charlie, que normalmente la escuchaba con interés, proyectando en esas historias sus propios anhelos de un futuro glamuroso e interesante, aquella tarde estaba demasiado excitado por la llamada de Heriberto y no le prestó atención. Ella se dio cuenta y gradualmente derivó la conversación hacia Heriberto.

—¿Dijo si regresará pronto? —preguntó Charlie.

La tía Irene se encogió de hombros.

—Tuvo que ir a Madrid —dijo.

—¿A Madrid? —exclamó él, decepcionado.

Heriberto estaba resultando verdaderamente un consumado maestro de la evasión.

—Sí. Le salió algo importante.

—Entonces no le veré ya antes de irme.

La tía Irene le miró con curiosidad.

—Creo que iba sólo para un día, pero mejor le llamas y hablas con él. Ya te dirá —dijo sacándose su teléfono móvil y ofreciéndole el número de Heriberto.

—No importa —dijo él mientras lo tecleaba en su móvil—. Otra vez será.

—Es una lástima que apenas hayáis coincidido ¿No dijiste tú que tenías algo que hacer en Barcelona antes de irte?

—Sí, tengo que bajar a Barcelona un día de estos —respondió él evitando la mirada de su tía—. Quiero recoger algunas cosas y hacer unas compras.

—Si Heriberto está todavía allí, tal vez puedas quedarte a dormir con él —propuso ella, con una sonrisa tan pícara que Charlie se alarmó pensando si no se barruntaba algo.

—¿Dónde se queda a dormir en Barcelona? —preguntó conteniendo su entusiasmo.

—Un amigo le deja su apartamento. Creo que no muy lejos de tu casa.

—Pues sí, claro. Pero no es necesario. Yo me puedo quedar en casa de un amigo. No quiero molestarle si está ocupado.

—No creo que sea una gran molestia que te quedes a dormir con él una noche. En fin, ya hablarán ustedes.

Charlie asintió. Debía tener más iniciativa si quería llevar esa historia a buen puerto (o a cualquier puerto) antes de partir de viaje.

—Dime, Charlie —dijo la tía Irene—. ¿Pasó algo entre Heriberto y tú?

Charlie se sintió enrojecer hasta la raíz del pelo.

—No, ¿qué iba a pasar?

—¿Discutieron ustedes tal vez?

—No, no, nada de eso. ¿Por qué?

—A veces las madres tenemos corazonadas raras. ¿Seguro que no pasó nada?

—No, no. La verdad es que casi no hemos hablado.

Ella asintió y recogió las tazas del café sin hacer más comentarios, dejando a Charlie mosqueado, preguntándose si acaso Heriberto le habría confesado lo que sucedió aquella noche.

Una vez solo, Charlie empezó a trazar mentalmente su plan. Bajaría a Barcelona el fin de semana y forzaría un encuentro con el primo. Podía tomar el primer autobús de la mañana y empalmar con el tren de Barcelona. Estaría en la ciudad al mediodía, con tiempo para dar una vuelta por las tiendas, hacer sus recados y luego encontrarse con Heriberto por la tarde. Si le invitaba a quedarse en el apartamento, súper; si no, entonces podría quedarse con Albert o, aún mejor, podría aprovechar para correrse una juerga solo y dormir luego en una sauna de veinticuatro horas.

Envalentonado por este pensamiento, marcó el número en el móvil lleno de expectación y de una confianza en sí mismo que le duró lo que tardó en encontrarse con la voz aséptica de un mensaje pregrabado.

Por más que se esforzaba, con Heriberto siempre terminaba flotando en la incertidumbre. Pero no se desesperó. Estaba convencido de que la llamada de Heriberto demostraba que había pensado en él y que sentía la obligación de excusarse por aquella despedida a la francesa, lo cual era mucho más alentador que la espera en la que había estado sumido.

Se alegró de tener algo más tangible que las historias de aquel viejo diario que, si bien le revelaba secretos que de otro modo nunca hubiera descubierto, también aumentaba la distancia que le separaba de él, evidenciando claramente la brecha insalvable entre ellos.

Calibró cuidadosamente lo que iba a decirle a Heriberto cuando se vieran cara a cara en Barcelona. Quería resultar distante, relajado, y no parecer una colegiala enamorada desesperadamente de su profesor. Habían transcurrido varios días ya desde que Heriberto se fue a Barcelona, y Charlie se imaginó que allí, solo y ocupado en sus cosas, habría pensado poco en él.

Quería decirle a Heriberto muchas cosas: que entendía perfectamente su miedo a verse envuelto en embrollos; que comprendía también que no quisiera alentar una pasión que amenazaba la paz de espíritu que él necesitaba para trabajar. Quería asegurarle que no debía temer ninguna escena, que él quería amarle sin exigir nada a cambio. Le hubiera gustado poder decirle todo lo que había aprendido sobre él leyendo su diario pero, naturalmente, eso era algo que no podía hacer sin situarse en una posición desagradable.

La musiquilla electrónica del móvil le sacó de aquellas ensoñaciones. El corazón le dio un vuelco. Estuvo tan seguro de que era Heriberto que contestó sin mirar antes la pantalla y se quedó desconcertado al escuchar la voz de Albert.

—Hey, ¿cómo va la felicidad playera?

Albert llamaba para pedirle dinero. Le contó que lo necesitaba para ir a Inglaterra. La chica con la que se enrolló aquella gloriosa noche le había estado enviando mensajes invitándole a visitarla. Albert estaba dispuesto a tomar el primer avión a Londres, pero sus padres se habían negado en redondo.

—No me dan la pasta. Dicen que el año que viene me enviarán a aprender inglés a Cambridge, pero que eso de ir detrás de una titi, para nada. Pero se van de vacaciones dentro de una semana y yo voy a aprovechar para irme sin decirles nada.

Charlie sonrió imaginando a Albert como un dandi de la Belle Époque corriendo tras las faldas de una *cocotte* parisina. Le ofreció doscientos euros, pensando que era una buena manera de corresponder a las invitaciones que Albert le había hecho a lo largo de los años.

—Estoy amuermado. Necesito vidilla —dijo Albert.

—Y un polvo, ¿no? —bromeó Charlie.

—Pues sí, claro... Oye, y hablando de todo, ¿cómo llevas lo tuyo? Voy a estar solo en casa este finde. ¿Por qué no te vienes, me pasas la plata y luego nos vamos a buscarte una chati para que te estrenes? Te juro que te doy el derecho de pernada.

Charlie rió. Albert con sus *chatis* era realmente como un señorito de los de chaqué y sombrero de copa.

—Muy generoso por tu parte —le dijo—, pero me parece que no me va a hacer falta tu ayuda.

—¡No jodas, tío! ¿Ya has mojado?

Animado por la superioridad moral que le daba prestarle dinero y por la seguridad en sí mismo que había ido ganando esos días, se decidió a contarle su recién descubierta sexualidad.

Albert soltó un silbido al otro lado de la línea.

—Eso es lo que hay —concluyó Charlie—. ¿Qué te parece?

—¡Jo, tío! Pues qué me va a parecer, de puta madre. ¿Quién es el afortunado?

—Yo —rió Charlie.

—No te pongas gracioso.

—Ya te cuento cuando nos veamos. Es un poco complicado. Pensaba llamarte porque tengo una historia en Barcelona, y yo también quería pedirte un favor. ¿Sigue en pie lo de quedarme en tu casa?

—Claro.

—Estupendo.

La conversación con Albert le puso de buen humor. Se alegró de haber hecho por fin su salida del armario con él y, animado por ello, marcó de nuevo el número de Heriberto. Una vez más le saltó el irritante buzón de voz, pero esta vez sí que se determinó a dejarle un mensaje.

—Heriberto, soy Charlie. Llámame cuando puedas —dijo escuetamente. Antes de mandarlo, lo escuchó una vez más para asegurarse que le había salido una voz suficientemente firme. Luego pulsó la tecla y lo envió. Una vez hecho esto, se sintió mucho mejor.

Por la tarde cogió el diario de Heriberto y se sentó en una hamaca bajo el manzano testigo de sus amores. Poco a poco fue sumergiéndose en la inquietante descripción de los días de angustia que Heriberto había pasado tras la muerte de Álvaro y el descubrimiento de que también él estaba infectado con el virus.

Al principio no había querido ni hacerse la prueba de detección. Mientras Álvaro vivía porque tenía que ser fuerte para cuidarle, y después porque no le veía el sentido. Al fin y al cabo, no había remedio ninguno y pensaba que un diagnóstico positivo sólo iba a provocarle un miedo paralizante, pero al final había cedido. Nueva York estaba entonces llena de rumores de curas milagrosas y de rápidos descubrimientos de fármacos que desaceleraban el desarrollo de la enfermedad.

Tardó dos semanas en obtener el resultado positivo. Durante ese lapso había escrito frenéticamente en el diario, convencido de que le quedaba poco tiempo. Siendo un escritor profesional, investigar y anotar había sido para él la manera normal de enfrentarse a la vida; ahora también sería la manera de enfrentarse a la muerte.

Algunas de las entradas de esos días eran largos monólogos interiores en los que Heriberto daba rienda suelta a irracionales especulaciones. Los pensamientos caían en cascada, mezclando el presente con el pasado, anulando el tiempo. Eran pasajes confusos, escritos con difícil caligrafía, sobrecogedores por la brutalidad descarnada que encerraba su lenguaje rápido. A Charlie le costaba seguir el hilo de aquellas febriles anotaciones. Otras veces, la prosa se hacía más lenta y la caligrafía más inteligible. Heriberto se explayaba en disquisiciones filosóficas y protestas por la falta de sentido de la existencia. Lamentaba la falta de un dios y contaba con desgarrada desesperación los intentos que había hecho de aproximarse a la fe rezando en iglesias protestantes, católicas y grecoortodoxas; había entrado en mezquitas y sinagogas, intentando buscar no una solución o una imposible salvación milagrosa, sino una validación de su vida, impidiendo que con la desaparición física también desapareciera el alma.

Al leer aquellas líneas escritas ante el terror de la muerte, Charlie sintió que el deseo iba dando paso a la comprensión y esta a lo que, no le cabía ya ninguna duda, era amor.

Cuando Heriberto finalmente recibió la confirmación de su estatus seropositivo, se lo había tomado con bastante frialdad. Lo esperaba. Además, había vertido tanto de sí mismo en aquellas páginas que era como si hubiera transferido allí todos sus miedos, quedándose purificado. Eso es lo que había escrito en el diario.

Rechazó los servicios del consejero que le ofrecieron en la clínica. Salió del hospital y dio un larguísimo paseo por Manhattan. Los siguientes días los pasó caminando distraídamente por la ciudad. Fue al Uptown, donde decía no haber estado en mucho tiempo, e hizo cosas que nunca antes había hecho, cosas que en Nueva York sólo hacen los turistas, como tomar el barco que va a la Estatua de la Libertad o el que rodea la isla de Manhattan. Se sentía como un turista no sólo en Nueva York, sino también en el mundo. De paso. Una sombra que camina en un mundo al que no pertenece.

Había escrito sobre su extrañamiento de esas calles abigarradas, llenas de ruido y furia, pensando en regresar a México, a ese pueblo devoto y supersticioso que vive con tanta naturalidad la muerte.

Había caminado de aquí para allá, sin rumbo, sintiéndose invisible, incapaz de comunicarse ya con aquella gente venida de todos los rincones del globo en busca de algo que a él se le escapaba: el futuro.

Vio colegiales que se embromaban saliendo de una escuela católica cerca de la Catedral de San Patricio. En Washington Square se quedó admirando la energía de un grupo de pandilleros negros bailando la música rap que salía de un *ghetto-blaster*. Había entrado en los lujosos vestíbulos de los rascacielos del Midtown, donde, sentado en sillones minimalistas, había observado a la gente que iba y venía animada por la conciencia de tener un propósito en la vida. En la Estación Central, miró a los corredores de bolsa cruzar el enorme vestíbulo a paso ligero, subiéndose a los trenes que les llevarían a los exclusivos suburbios en Connecticut o Westchester County. De los trenes del Bronx o Nueva Jersey descendía a su vez un ejército de personal de limpieza, inmigrantes latinos que tomaban el relevo de los ejecutivos y las mujeres de traje chaqueta y zapatillas deportivas. Toda la ciudad era un hervidero de personas buscándose la vida, trabajando para alcanzar sus sueños un día en un futuro que él ya no tenía.

Un anochecer subió al Empire Estate para observar con melancolía las luces de la ciudad que nunca duerme y los últimos coletazos del crepúsculo sobre el río Hudson. Cuando por fin cayó la noche, volvió al piso de la calle Bleecker, se sirvió un gran vaso de *bourbon* y entonces lloró desconsoladamente hasta quedarse dormido.

Todo eso había leído Charlie en el diario, contrastando el barullo de la ciudad de Nueva York y del alma de Heriberto con la calma apacible de aquella tarde en el pueblo costero.

Pero su obsesión por Heriberto no era correspondida por su primo. La tarde había avanzado sin que su llamada tuviese respuesta.

Para distraer el ánimo en el que le había dejado aquella lectura, salió a pasear. Tomó las calles laterales en vez del paseo para no encontrarse con nadie. Descubrió una callejuela empedrada que subía desde la plaza de la iglesia hacia la colina que tenía enfrente de su balcón y la enfiló cuesta arriba hasta que se convertía en un camino que se internaba en la pineda. Terminaba bruscamente en la verja del cementerio. Del bosque llegaba un estrépito de chicharras que, a la luz del atardecer, acentuaba el aire siniestro del lugar. Se detuvo un rato leyendo las lápidas hasta que le entró una tristeza insoportable. Salió de allí y tomó el camino de los acantilados. Los cementerios siempre le habían resultado opresivos. Alguna vez había ido con su madre al de Les Corts, donde estaba enterrado su padre, y la visita le había dejado siempre un mal sabor de boca.

—A mí mejor me incineran y después que tiren mis cenizas al mar —le había dicho a su madre, que se había reído ante tanta determinación en alguien para quien la muerte era una cosa todavía lejana.

El mar no le parecía opresivo. Al contrario, liberador en su inmensidad. Ahora, mientras seguía el camino de ronda por la cima de los acantilados, su presencia le ayudó a serenarse.

Se le ocurrió que había sido el miedo a pasarle el virus lo que habría impedido a Heriberto corresponder a su pasión la noche de luna llena. Se habría contenido la urgencia de eyacular, aterrorizado por la posibilidad de contagiarle. Todo tuvo perfecto sentido para Charlie. Estuvo convencido de que Heriberto no le había rechazado por falta de interés, sino por buen juicio.

Estuvo andando largo rato, tan inmerso en sus pensamientos que no reparó en la distancia que había recorrido. Fue consciente de la luz del crepúsculo y se asustó al pensar que, una vez que el sol se pusiera del todo, la noche sin luna iba a hacer peligroso el camino de regreso. Siguió hasta el viejo faro abandonado y de ahí regresó por la carretera, a paso ligero, escuchando sus pisadas y el canto de los grillos. Cuando el sol se puso detrás de los Pirineos, aparecieron las primeras estrellas.

Charlie miró el firmamento misterioso, sintiéndose una mota de polvo en la grandeza del cosmos. Sintió terror por hallarse solo en la oscuridad del bosque y se alegró cuando alcanzó las primeras farolas del pueblo.

La carretera pasaba por el mirador del acantilado, donde brillaba la punta de un cigarrillo. Al acercarse, distinguió la sombra de un hombre que, por unos momentos, obsesionado como estaba y propenso a creer en espectros y apariciones, le pareció Heriberto.

El corazón le dio un brinco. Pero no podía ser. Heriberto no fumaba. El hombre oyó los pasos de Charlie y se volvió. Charlie adivinó en la penumbra las formas de un hombre alto y delgado. Se cruzaron las miradas por una fracción de segundo hasta que Charlie, vergonzoso, miró hacia otro lado y aceleró el paso cuesta abajo, de vuelta al pueblo. Se volvió de nuevo y vio que seguía observándole, e incluso creyó ver cómo el hombre le hacía un saludo con la mano. Charlie sintió de pronto la adrenalina de la excitación sexual despertársele en algún lugar del cerebro.

¿Sería una oportunidad? Se preguntó si el hombre estaba ligando con él. Le pareció extranjero, holandés o alemán, y, a primera vista, atractivo. Pero era demasiado tarde y tenía que volver a casa.

Se disculpó con la tía Irene, que ya había cenado y estaba a punto de salir.

—¿Hablaste con Heriberto? —le preguntó ella.

—No. Le dejé un mensaje, pero no contestó.

—Los celulares ya se sabe...

—¿No volvió a llamar? —preguntó Charlie.

—No. Me temo que ni Heriberto ni yo somos los compañeros ideales para ti. ¿No saldrás esta noche?

—No sé, a lo mejor, pero quiero que sepas que estoy pasando un verano estupendo. Es justo lo que necesitaba antes de irme a conocer mundo. Eres muy generosa.

—Bueno —sonrió la tía Irene—, me alegro, pero no tienes que agradecerme nada, esta es tu casa. Sólo espero que no te aburras mucho. Deberías salir más con Mimí y su amiga. Ellas te pueden presentar a todo el mundo. Mimí parece un poco alocada, pero es mucho más juiciosa de lo que a ella le gusta aparentar. Es listísima.

—Precisamente esta noche he quedado con ellas para ir a la discoteca, tía.

—Pues así me gusta. Que salgas y te diviertas en estos días que te quedan aquí. Ya tendrás tiempo de quedarte en casa leyendo, cuando llegue el invierno. Sal y mézclate con la gente de tu edad.

Charlie se preguntó una vez más si aquella invitación a salir con «gente de su edad» no era una indirecta de la tía Irene sobre su obsesión con Heriberto.

Capítulo 14

Sueños de una noche de verano

Cuando se fue la tía Irene, Charlie se quedó escuchando los sonidos de la noche: los grillos, un pájaro cuco, el golpeteo de cubiertos y platos que se recogen y el rumor de conversaciones en jardines contiguos. Del bosque le llegaba el olor de los pinos, mezclándose con el de aquel jazmín que para siempre iba a estar asociado con Heriberto; en el cielo, brillaba un sinfín de estrellas unidas en constelaciones que Charlie intentó descifrar.

Tras los negros nubarrones de la tarde, una paz serena se apoderó de su espíritu y le acudieron a los ojos lágrimas de felicidad por estar vivo y ser capaz de apreciar la magia de las cosas, como había dicho Heriberto. En su soledad, no hizo ningún esfuerzo por reprimirlas.

Pensó en un futuro en el que Heriberto cedía por fin a su voluntad y vivían juntos en Nueva York, donde recorrían la geografía que Charlie había aprendido leyendo su diario. Ese mundo que se abría ante él iba a ser muy diferente. Estaba impaciente por convertirse ya en protagonista de su propia novela.

Pero había también algo terrible en la belleza de la noche. Para empezar, la espléndida indiferencia de las estrellas que centelleaban a distancias imposibles le recordaba la fragilidad de la vida frente a la grandeza del universo. Todos los empeños humanos empalidecían al lado de aquella vastedad impasible. Abominó la idea de que, si una catástrofe terminara súbitamente con la vida en la tierra, la huella del hombre desaparecería para siempre y nada quedaría de los libros que habían conmovido su alma, ni de las ciudades que ahora tanto deseaba conocer.

Esas reflexiones le llevaron a considerar la idea de Dios, y se imaginó a Heriberto arrastrando su miedo al vacío existencial por las iglesias neoyorquinas en busca de un consuelo imposible porque no había ni cielo ni infierno, sólo la descomposición de las células y el terrible silencio de la inmensidad cósmica.

Tuvo la impresión de sentirse a la vez irrelevante y extremadamente importante, pues, a pesar de su insignificancia, tanto las constelaciones como el aroma del jazmín existían solamente por su capacidad de percibirlos. El universo existía solamente gracias a su propia existencia, que era lo que daba orden al caos. Sin él, nada tenía sentido.

Le hubiera gustado poder compartir con alguien la enorme responsabilidad que se echaba sobre los hombros, nada menos que la existencia del universo entero, y se encontró más solo que nunca bajo el cielo estrellado.

Oyó las voces de la señora Sardá y de su tía charlando en la terraza de la casa de al lado y otras risas y charlas que flotaban en la tranquilidad de la noche. En algún lugar estarían también las dos mujeres a las que había escuchado parlotear en la playa. Imaginó sus vidas perfectamente contenidas dentro de los límites de las convenciones de su pequeño mundo: el marido, los hijos, las cenas en restaurantes y esa infinidad de posesiones materiales que les servían para validar la existencia dentro de un orden social perfectamente comprensible. Charlie no podía imaginárselas entregándose a especulaciones existenciales.

Envidió ese perfecto ajuste con el entorno porque intuía que eso nunca iba a estar a su alcance, que él estaba condenado a vivir perpetuamente en la periferia de la vida, siempre mirando desde fuera, a través de una ventana, la fiesta que los demás disfrutaban.

Al darse cuenta del sesgo negativo que tomaban sus pensamientos, abrió los ojos, se levantó y fue a la cocina a servirse un vaso del whisky que la tía Irene guardaba en la alacena. Llenó un chupito y lo bebió de un solo trago, sintiendo casi inmediatamente cómo el alcohol le asentaba las emociones que le palpitaban dentro del alma, anestesiándolas.

Animado por la euforia de ese primer trago, buscó el móvil y llamó a Heriberto. No hubo respuesta y el ímpetu se le desvaneció escuchando una vez más el buzón de voz.

Colgó sin dejar mensaje, se sirvió otro vaso de whisky y volvió a la terraza descorazonado por aquel persistente silencio. Se consoló pensando que, naturalmente, Heriberto estaría ocupado y no sentado junto al teléfono esperando su llamada. Estaría quizás cenando en Madrid con alguna de esas personas importantes que entrevistaba para su libro, o tal vez estuviera en el avión regresando ya a Barcelona y, cuando conectara el móvil en la terminal, le entraría la llamada y le respondería.

Entretanto tenía que distraerse, pues el diablo encuentra tormentos para el amante que espera. Pensó en Mimí. El carácter juerguista de la chica sería el perfecto antídoto contra los pensamientos sombríos que le acechaban cuando estaba solo. Le apeteció abandonarse a una diversión sin complicaciones, a lo que la tía Irene consideraba propio de la gente de su edad; fumar hachís, beber alcohol y charlar de cosas frívolas como las mujeres de la playa, olvidándose de las solemnes profundidades en las que él había estado hundido aquella tarde.

Para cuando salió a la calle, tras entonarse con otro par de tragos, cualquier pensamiento inquietante había quedado ya temporalmente relegado a algún rincón del cerebro.

Era tarde. Al cruzar el paseo, los bares estaban ya cerrando. La gente se retiraba. En los restaurantes los camareros doblaban manteles, retiraban servicios y amontonaban las sillas.

Al aproximarse al mirador, medio esperó encontrarse todavía con el fumador que le había saludado al anochecer, pero sólo había allí un trío de chicos franceses fumándose un porro mientras se embromaban.

Bajó los escalones de roca, deteniéndose un momento a mirar las luces del chiringuito brillando en la oscuridad de la playa. Tras pasar el día inmerso en los dramas de Heriberto, necesitaba desahogarse. La música electrónica que llegaba amortiguada desde el bar le hizo sentir una anticipación de placeres y diversiones.

Estaba más lleno de lo habitual. Había corros de gente hablando en voz alta alrededor de las mesas metálicas, pero no encontró a Mimí entre ellos. Tras la barra, Beni estaba ocupado preparando una tanda de mojitos, la bebida de moda aquel verano. Le saludó haciendo un gesto de desesperación, indicándole que no podía estar por él en ese momento. Charlie pidió una cerveza al otro camarero y se retiró a la escalera que bajaba a la playa, desde donde miró la oscuridad del mar. Se preguntó si esa noche sería Mimí quien le dejara plantado a él. Si así fuera, no podría quejarse después de haber estado él esquivándola tantos días. Sin embargo, esa noche necesitaba su compañía. Estaba aburrido de estar solo. Bebió la cerveza a sorbos lentos para hacerla durar.

De la playa le llegaron voces y, cuando la vista se le acostumbró a la oscuridad más allá de la claridad del chiringuito, distinguió un grupo de figuras tumbadas. Vio también la espuma de las olas estrellándose contra las rocas y alguien bañándose en el mar. En la distancia, la luz del faro centelleaba a intervalos regulares.

Le cortaba un poco ser el único que estaba solo. El resto de la gente lo pasaba estupendamente con su pandilla de amigos. Alrededor de una mesa vio al grupo de holandeses y pensó acercarse a preguntarles por Mimí. Estaban liando porros de marihuana y tal vez le invitaran a fumar, pero no terminó de decidirse. Temía que no le reconocieran y que se creara una situación embarazosa, así que se quedó donde estaba, mirando sucesivamente la playa y a la gente del bar, pretendiendo una relajada indiferencia mientras se mecía al ritmo de la música.

En un rincón, Txiki, el dueño del bar, jugaba al dominó con un hombre al que creyó reconocer como el tipo que había visto antes en el mirador. Los dos fumaban sendos puros sin prestar atención a la algarabía que les rodeaba. Eran mucho mayores que el resto de los clientes y, para Charlie, también los más atractivos. Estudió con atención los diferentes tipos que allí se congregaban. Jóvenes turistas, la mayoría. Los había de pelo largo vestidos con ropas deportivas y otros con el pelo corto moldeado con gel en diferentes arquitecturas capilares. En todos ellos notaba un esfuerzo excesivo por destacarse y resultar diferentes, aunque, paradójicamente, a pesar de ese esfuerzo, tenían un aire de uniformidad muy poco atrayente. Su juventud les confería frescura, pero le parecía que estaban a medio cocer.

De haber tenido que elegir una mesa para compartir, sin duda se hubiera sentado junto a los dos jugadores de dominó antes que ponerse ciego de coscorrones de tequila como estaban haciendo los amigos de Virginie.

Txiki y su amigo le transmitían un aire de áspera sexualidad que Charlie, siempre tan literario, encontró muy baudelairiano. Le parecía que tenían un espíritu romántico del que carecían completamente los jóvenes sentados a su alrededor. Había en los dos hombres un aire de introspección y naturalidad que situaba su belleza más allá del atractivo superficial.

En cambio, por toda su achispada animación, los jóvenes carecían de algo que Charlie, a falta de una palabra mejor con la que definirlo, describió como «clase». Los encontraba profundamente conservadores a pesar de los porros y las ropas desenfadadas. Tras la fachada de informalidad, presentía un egocentrismo y una frívola evasión antes de resignarse a un futuro bien trazado de antemano: la universidad, el trabajo, el matrimonio. En algunos años todos sucumbirían a la aguachirle de la rutina, siguiendo sin más los senderos señalados por las generaciones anteriores, a excepción de alguno que se perdiera en experimentos fallidos.

Lo que le atraía de Txiki y su amigo era que, como Heriberto, ellos habían ya traspasado el estadio de las ilusiones y las esperanzas y que su madurez, más o menos desencantada, transmitía la romántica derrota de los supervivientes.

Charlie nunca se había sentido a gusto con la gente de su edad. En el instituto, lo que más le había intrigado de Albert había sido precisamente el aire de hombre de mundo que se daba. También la rebeldía de Sabir contra la religiosidad de sus padres le había resultado interesante. El resto de sus compañeros le habían parecido un rebaño de borregos. En su generación no había espacio para sueños de grandeza ni aventuras heroicas. Las grandes utopías libertarias que habían animado a su madre a rebelarse contra el mundo estaban ya perfectamente desactivadas; ninguno de aquellos jóvenes sentía el menor deseo de alzarse contra el destino. Se vivía aparentemente en el mundo perfecto, y los más inquietos, como mucho, se alistaban en movimientos ecologistas, nacionalistas o cualquier otra cosa que les permitiese escapar del tedio que pasa por diversión en las tardes de la adolescencia. Esas tardes de frustración malgastadas en bares, fumando porros o jugando con la consola de videojuegos. Sentía que eran unos nihilistas. La única insubordinación que les quedaba era la de volarse por los aires como los famosos terroristas suicidas u organizarse en clanes y tribus urbanas que reproducían los comportamientos de la sociedad que les rechazaba.

Su forma de rebelarse era hacerse un piercing o un tatuaje, o mediante el hábito desesperado de ir escribiendo sus nombres por los vagones y los túneles del metro. Las borracheras sin sentido, la violencia gratuita y el hedonismo de sus contemporáneos dejaban a Charlie con un sentimiento de absoluta indiferencia. Habían renunciado a cambiar el mundo y a lo más que aspiraban era a autodestruirse y llevárselo consigo por delante.

Charlie detestaba los clichés del «muere joven y tendrás un bonito cadáver» o «espero morir antes de hacerme mayor». Había leído hacía poco una biografía de Arthur Rimbaud, símbolo por excelencia de esa juventud dorada, pero no fue su genio adolescente lo que le había cautivado a él, sino el hombre que, desencantado ya con la vida bohemia de los cafés parisinos, abandona la ciudad y va en busca de aventuras.

Charlie veía en los dos hombres que jugaban en el rincón a personas que habían sufrido desengaños y a quienes el dolor había dado cierta paz de espíritu, situándoles más allá de los sueños inalcanzables de la juventud.

—Hola, ¿qué tal estás?

Beni le sacó de sus pensamientos.

—Hola.

—Perdona que no te saludara antes. Ya viste cómo estaba de ocupado.

—Sí, ya vi. ¿Qué pasa hoy que hay tanta gente aquí?

—Es fiesta en Francia y se vinieron para acá todos los gabachos.

—Ah, eso lo explica. ¿Has visto a Mimí?

—Por ahí anda. En la playa, me parece.

—Voy a ir a saludar, no sea que se enfade.

—Creo que hoy no te va a echar de menos. Tenía una buena corte de franceses. Estará bien ocupada.

Charlie sonrió.

—Voy de todas maneras. Te veo luego.

—¿Vendrás a la fiesta de Txiki?

Charlie se encogió de hombros.

—Tal vez.

—Estará bien. Vení, hombre.

Beni se fue recogiendo vasos por las mesas. Charlie miró en dirección a Txiki. Habían terminado la partida y estaba guardando en la caja las fichas de dominó mientras el otro fumaba con indolencia. Levantó la vista y por una fracción de segundo sus ojos se encontraron. Charlie, nervioso, desvió la mirada y fue a la playa a buscar a Mimí.

La encontró reinando sobre un grupo de chicos tumbados a su alrededor como una manada de perros.

—Hola, así que viniste. Me alegro de verte —le dijo pasándole su sempiterno porro.

Charlie lo aceptó con ganas. Ella le presentó al grupo y algunos de los chicos respondieron con vagos saludos. Todos estaban aplatanados por el hachís. Mimí le ofreció whisky en un vaso de plástico de una botella que sacó del bolso.

—Cógete un hielo de mi vaso —dijo ofreciéndoselo.

Charlie podía oír las voces de los que estaban bañándose en el mar.

—¿Qué pasa con las medusas? —preguntó.

—Dicen que la corriente cambió esta tarde y se las llevó mar adentro.

—¿Será seguro bañarse?

—Supongo que sí. Esos llevan allí mucho rato y todavía no hemos oído alarmas.

Charlie no podía ver bien en la oscuridad, pero distinguió a alguien que apoyaba la cabeza en el regazo de Mimí. Ella se dio cuenta y le sonrió, ufana de tener aquella corte. Charlie le devolvió el porro y se echó junto a ella. Era una noche de bochorno, pero se estaba bien allá en la orilla, mirando las estrellas.

Oyó pisadas de alguien que se acercaba. Se medio incorporó e identificó las siluetas de Txiki y su amigo caminando hacia ellos.

Cuando estuvieron a su altura, Mimí les saludó y Txiki le respondió con una sonrisa, pasando de largo sin detenerse.

Charlie siguió la silueta de sus cuerpos hasta que desaparecieron en la oscuridad.

Se levantó y dijo que le apetecía darse un baño.

—A mí ahora es cuando más me gusta —dijo Mimí ofreciéndole una toalla.

Charlie distinguió la punta de unos cigarrillos brillando en las rocas y fue hacia allá. Se quitó la ropa, la dobló, la envolvió en la toalla y entró en el agua, chapoteando con cierta aprensión por si acaso hubiera medusas. Salió al cabo de poco y fue a lavarse a las duchas que había en una plataforma cerca de donde estaban Txiki y su amigo. El agua que caía a chorros salía tibia tras el día caluroso. Estuvo un rato quitándose el salitre del mar, moviéndose deliberadamente, consciente de que tal vez estuvieran observándole.

Mientras se secaba, vio que los dos hombres se levantaban y venían hacia él.

—¿Esta buena el agua? —preguntó Txiki al pasar junto a las duchas.

—El agua está bien, pero me dan miedo las medusas. ¡Como no se ve nada...!

—Sí, pero dicen que la corriente cambió y se las ha llevado mar adentro.

Charlie, tras mostrar su desnudez con una naturalidad más bien forzada, se ató la toalla alrededor de la cintura.

—¿Un cigarrillo? —preguntó.

El compañero de Txiki rebuscó en los bolsillos y le ofreció uno. Charlie lo encendió con gestos premeditados, consciente de la iluminación de su rostro en la noche como en un cuadro de claroscuro.

—¿Estás de vacaciones por aquí?

Charlie asintió.

—No te he visto antes. ¿De dónde eres?

—De Barcelona. Estoy pasando un mes aquí.

Charlie notó que el amigo le miraba sonriendo y le correspondió devolviéndole la sonrisa.

—¿Estás solo?

—Con una amiga —dijo levantando la barbilla en dirección del grupo de sombras—. Creo que la conoces. Mimí.

—¿La gordi?

Charlie sonrió.

—¿Os conocéis de Barcelona?

—No, la conocí aquí al llegar.

—Nunca te he visto por aquí.

—Yo sí te he visto. Tú eres Txiki, ¿verdad? Vine una vez con mi primo. Y me acuerdo que estuvo hablando contigo.

—¿Tu primo? —repitió Txiki, intentando adivinar quién podría ser.

—Heriberto.

—¿Tú eres el primo de Heriberto?

Charlie asintió sonriendo.

—Es el primo de Heriberto —repitió en inglés a su compañero, quien contestó poniendo la cara de sorpresa que el comentario parecía demandar de él.

—*I know* Heriberto —comentó.

Tenía una voz gutural germánica pero suave.

—Este es Hans, holandés —dijo Txiki.

Hans y Charlie se saludaron con un apretón de manos.

—Conque el primo de Heriberto, ¡vaya, vaya! ¡Qué casualidad!

—¿Te habló de mí?

—Sí, me dijo que tenía un primo de visita en su casa.

Charlie tuvo curiosidad por saber qué más le habría contado Heriberto sobre él.

—¿Y qué te dijo?

—Que estabas por aquí. Nada más. Debió de ser el día ese que me cuentas, aunque yo no recuerdo haberte visto.

—Bueno, pues ahora ya sabes quién soy —contestó Charlie, sintiéndose un poco más familiar con él.

—Vamos a volver al bar. ¿Vas a venir a la fiesta que hay en mi casa esta noche?

—Sí, ya me ha dicho algo Beni. Supongo que sí.

—Nos vemos allí, pues.

—Hasta luego.

Hans el holandés le hizo una última sonrisa y los dos hombres se fueron hacia el chiringuito.

Charlie volvió al lado de Mimí, que ya le había visto con Txiki y tenía curiosidad por saber de qué habían hablado.

—De Heriberto —le dijo Charlie.

—Son amigos —dijo ella con autoridad.

—Sí, ya me contaste una vez tu teoría.

—Les he visto juntos muchas veces antes de que tú vinieras. Siempre me pareció que eran amantes.

—¿Y quién era el otro?

—No sé, un amigo.

—¿No te lo ha presentado? ¡Qué grosero!

—Sí, se llama Hans.

—Es guapo.

—Sí —dijo Charlie, tumbándose a su lado para contemplar las estrellas, y esta vez no las vio como un signo de la insignificancia humana, sino como un buen auspicio de la noche.

Capítulo 15

Otra fiesta

Además de los habituales del chiringuito de la playa, había muchas caras nuevas en la fiesta de Txiki.

—Son franceses y los que vienen de otros pueblos cuando cierran las discotecas —le informó Beni—. La casa de Txiki es el último puerto. Cuando hay fiesta, se corre la voz y acá llegan de toda la costa.

Beni se había unido al grupo de la playa al terminar de trabajar. Estuvieron un rato fumando porros con Mimí y Virginie y luego habían ido al Chez Magritte, donde Mimí se había vuelto a poner un poco pesada, sobándole e intentando morrearle. Para escapar, Charlie se había unido a

Beni, con quien estableció una de esas amistades instantáneas propiciadas por la euforia de las drogas y el alcohol. Txiki y su amigo no aparecieron por la discoteca. Beni dijo que se habrían ido directamente a su casa para preparar la fiesta.

Al cerrar la discoteca, Mimí y Virginie subieron al coche de los franceses y ellos dos fueron caminando por la carretera. Beni parecía disponer de toda una farmacia y le ofreció un *tripi* cuando pararon de camino a la fiesta. Habían terminado abrazados y besuqueándose un poco, aunque nada serio pues, como bien había dicho Beni, ellos dos eran dos cerraduras en busca de llave.

—Vení, vamos a inspeccionar el terreno —dijo tomándole de la mano—. En estas fiestas es importante saber exactamente lo que pasa en cada rincón.

Subieron a la primera planta, donde Beni fue abriendo una por una las puertas que había a cada lado del pasillo.

—Son las habitaciones. Aquí termina siempre la fiesta —explicó guiñándole un ojo—. Aún es pronto.

Bajaron de nuevo a la planta baja. Beni le llevó de la mano cruzando un gran salón donde la fiesta acababa de empezar a animarse. Había ya gente bailando la música electrónica que pinchaba el disc-jockey del chiringuito. Beni le lanzó un saludo mientras arrastraba a Charlie hacia la puerta que daba paso a la cocina. Allí se encontraron a Mimí mezclando una tanda de mojitos.

—¡Cuánto habéis tardado! —les dijo al verles entrar—. Coged un cóctel y salgamos de aquí —añadió, ofreciéndoles la bandeja de mojitos recién preparados—. ¡Hace un calor insoportable!

En la terraza, Mimí miró por todos los rincones tomando nota de los presentes. Había mucha gente allí afuera. El calor había dispersado a otros por los jardines, buscando la inexistente brisa nocturna.

—No sé dónde se ha metido François —dijo Mimí—. La verdad es que no es mi estilo para nada, pero se ha encaprichado conmigo. ¿Verdad que es mono?

—Ya se habrá buscado alguna sílfide —bromeó Beni, guiñándole un ojo a Charlie.

—O *algún* sílfide —replicó ella maliciosamente—. En este pueblo todo se mezcla y no se sabe nunca quién es carne y quién pescado.

La voz gangosa y las pupilas dilatadas delataban que iba puestísima.

—Ayudadme a encontrar a François —dijo cogiéndoles del brazo y dirigiéndoles hacia la escalera que bajaba al jardín.

Antaño se habían cultivado vides y olivos en las terrazas que bajaban hasta el acantilado, pero en su lugar crecían ahora fálicos cactus que había plantado el padre de Txiki, naturalista aficionado.

Mimí les explicó que ese señor, fallecido hacía algunos años, había sido alcalde de Gerona en tiempos del franquismo y que se había hecho muy rico especulando con terrenos en la Costa Brava.

—Txiki lo ha heredado todo y sólo lleva el bar para divertirse.

—Y para ligarse pibes —precisó Beni—. Estas fiestas son su tela de araña. Al final él siempre se queda con alguna víctima.

—Como tú, por ejemplo —rió Mimí.

—Yo soy el del año pasado. A Txiki le gusta la novedad. Ahora el que corre peligro es Charlie. Ya le vi fijarse en él con esa mirada de loba esteparia que se le pone cuando reconoce una presa.

Bajaron por un sendero bordeado de cactus hasta una glorieta colgada sobre el acantilado. Se sentaron en unos bancos de piedra. Incluso allá fuera el calor era sofocante. Mimí se asomó al acantilado mientras Beni extendía con una tarjeta de crédito unos polvos blancos sobre su billetera.

—El día de la luna llena la vista era preciosa —dijo Mimí.

Charlie se estiró en uno de los bancos y recordó aquella noche en otro jardín, comiéndole la polla a Heriberto.

Empezaba a notar los efectos del *tripi* y se sentía como flotando. La droga le potenciaba todos los sentidos. El aroma de los pinos, el perfume de Mimí, el rumor de las olas y el ritmo de la música que les llegaba hasta allí le provocaban un efecto hipnótico. La mente se le dispersaba en una miríada de sensaciones. Se vio dividido en miles de fragmentos discordantes: Charlie el aplicado alumno, Charlie el pajero impenitente, el hijo perfecto, el desesperado chupapollas... Un constante cosquilleo le recorría las terminales nerviosas. Después de esnifar la raya que le ofreció Beni, se quedó sonriendo como un idiota con la mandíbula desencajada.

Recostado sobre uno de los bancos, observaba las estrellas en el cielo y los extravagantes cactus que crecían alrededor de la plazoleta. Oyó las voces de Mimí y Beni distantes como murmullos escuchados a través de una pared. El ruido de las olas se convirtió en el fragor de una tempestad.

Recordó un fragmento del diario de Heriberto:

El miedo sobreviene en oleadas. Cuando llega una
ola, el estómago se queda vacío, uno pierde el control
de los músculos y se produce una incontrolable flojera
en las rodillas. La vista se nubla. Se anula la realidad
cotidiana.

Heriberto hablaba del miedo a la muerte, pero para
Charlie esas palabras reflejaban perfectamente lo que él
sentía en aquel momento. No era una sensación entera-
mente desagradable aquella deliciosa ingravidez. Había
conseguido por fin el rimbaudiano trastorno de todos los
sentidos.

Al cerrar los ojos, se vio transportado al apartamento
neoyorquino de Heriberto. La música electrónica que
llegaba desde la casa se transformó en las sirenas urbanas
de ambulancias y coches de policía; el rumor de las olas en
un runrún de tráfico urbano.

—¿Estás bien? —la voz ronca de Mimí le sacó de sus
ensoñaciones.

Charlie sonrió. Fue todo lo que pudo hacer. Mimí se le
acercó y le ofreció el porro que estaba fumando. Mientras
aspiraba una calada, ella le acarició el brazo suavemente.
Charlie se dejó hacer.

Estuvieron un rato así, sin hablar, hasta que Beni sugirió
volver a la fiesta. Charlie se incorporó, librándose un poco
bruscamente del brazo de Mimí, y se fue a la barandilla de
la glorieta, desde donde contempló las luces de las urbanizaciones brillando al otro lado de la bahía. Las imágenes le
cabalgaban desbocadas por la cabeza, encadenándose unas
con otras sin orden ni lógica. Aquellas luces le parecieron
el *skyline* de Manhattan.

Se sintió liberado de la tensión entre el pasado inalcanzable de Heriberto y su propio futuro promisorio. Lo único que importaba esa noche era el presente.

—Sí, vamos —dijo.

—Espera, nos hacemos otra raya antes —propuso Mimí.

Pero Charlie no quiso esperarles. Quería explorar la fiesta y, sin decir más, desapareció entre los cactus.

Vagando fascinado por el extraño jardín, se vio como el personaje de un cuento de hadas. Se encontró a una pareja haciendo el amor, ajenos a todo lo que les rodeaba. Sin percatarse de que les estaban mirando, continuaron jadeando, despertando la calentura adolescente de Charlie.

En la terraza, se apoyó en una barandilla observando a la gente que iba y venía. El ambiente era como de una película de Fellini. Chicas francesas con vestidos de tirantes e italianos impasibles que le recordaban a Marcello Mastroianni. Mucha juventud divina bajo la noche estrellada.

El ambiente chic y de despreocupada felicidad veraniega era la viva imagen de la legendaria «fiesta perfecta» que siempre habían buscado Albert y él en sus rondas noctámbulas barcelonesas, aquella en la que gente dispar coincidía para crear una atmósfera hechizante. Pero las andanzas barcelonesas nunca habían terminado así. Normalmente habían ido a algún bar de «rebajas» de última hora o, como mucho, a casa de algún pijo que, aprovechando la ausencia de sus padres, había improvisado un guateque en algún apartamento del Eixample o la zona alta. Allá, entre muebles de caoba y espantosos cuadros, las pandillas habían charlado hasta el amanecer, sisando el whisky del mueble bar y bailando entre retratos de familia y figuras de Lladró.

Aquellas fiestas de adolescentes nada tenían que ver con lo que se respiraba en casa de Txiki. Charlie se sentía como una Cenicienta invitada por primera vez a un mundo que hasta entonces había vivido «en diferido», a través de las páginas de libros o en las pantallas de los cines.

—Ah, mira quién tenemos aquí —dijo una voz a su espalda y, al volverse para ver a quién pertenecía aquella voz, se encontró con Txiki y Hans, el hombre solitario del mirador.

Charlie les saludó intentando serenarse.

—¿Qué haces aquí tan solo?

—Beni está con Mimí por ahí —respondió, señalando con un gesto el jardín de los cactus—. Hay una vista impresionante desde el acantilado.

—Ah, la vista, sí. Tendrías que haber venido a la fiesta del día de la luna llena. Entonces sí que se veía bien —dijo Txiki.

La escena de amor con Heriberto volvió a cruzársele a Charlie como una estrella fugaz.

—Ya te presenté a Hans, ¿verdad? Es de Holanda y tú eres... no sé si me dijiste tu nombre...

—Charlie.

—Ah, sí, claro. Charlie. Pero tú eres español, ¿no?

—Sí.

Charlie calculó que Hans tendría poco más o menos la edad de Heriberto. A pesar de las arrugas y las bolsas en los ojos, su mirada conservaba un brillo juvenil.

—Hans conoce a tu primo Heriberto, fíjate qué coincidencia —dijo Txiki—. Este es el primo de Heriberto —explicó a Hans,

—*Nice* —dijo Hans, clavándole una mirada que le despertó a Charlie todo tipo de deseos.

—Hans no habla español —explicó Txiki—, pero habla alemán e inglés. Mañana se va a Barcelona.

Charlie asintió. Estaba cautivado por la mirada de Hans como un conejillo por las luces de un auto. Las drogas le habían producido el curioso efecto de ver todo como en una película, con primeros planos, *travelings* y fundidos a negro. Ahora la fiesta que tenía lugar alrededor de ellos había desaparecido y él sólo veía a Hans como en un primer plano cinematográfico.

—¿De qué conoces a Heriberto? —preguntó Charlie en su buen inglés.

Hans dijo que le conocía de Nueva York, donde él había vivido algunos años.

—El mundo es un pañuelo —rió Txiki.

—*Birds of a feather fly together* —dijo Hans.

—Dios los cría y ellos se juntan, decimos en español. *God creates them and then they get together* —le tradujo Charlie.

—¿Tú ya conocías a Heriberto también? —le preguntó Charlie a Txiki intrigado por aquellas conexiones.

—Solo de este verano en el bar.

Algo no le cuadraba a Charlie.

—¿Sabías que Heriberto estaba aquí? —preguntó a Hans.

—Cuando regresé a Europa, me dijo que iba a estar con su madre todo el verano.

—¿Y tú sabías que ellos dos ya se conocían? —preguntó a Txiki.

—¡Vaya interrogatorio! —rió él—. No, no lo sabía, pero cuando Hans me habló de un amigo de Nueva York que estaba aquí pasando el verano fue fácil atar cabos, ¿no? Tu primo es el único neoyorquino en este pueblo. Al menos el único que yo conozco y el único que podía ser el tipo de persona que Hans conoce.

Charlie sonrió pensando en lo que Txiki quería insinuar.

Cuando Txiki se ofreció a traerles algo de beber, ellos se sentaron a charlar en un rincón apartado.

—¿Heriberto no está contigo? —preguntó Hans.

—Está en Barcelona.

—Ah, es una pena que no coincida con él.

—¿Él no sabe que estás aquí?

—Se lo dije hace tiempo, pero creo que no le decía exactamente cuándo iba a venir. Llamé esta tarde, pero no me contestó. No nos vemos desde hace por lo menos cinco años, pero de vez en cuando nos intercambiamos noticias. ¿Qué tal está?

Charlie se encogió de hombros.

—Bien. Muy ocupado. No he coincidido mucho con él. La verdad es que lo conozco menos que tú. Hasta hace un par de semanas ni siquiera le conocía personalmente.

—¡Qué curioso! —rió Hans.

—Sí, cuánta coincidencia.

De pronto empezó a sentir la mano de Hans rozándole el tobillo. Una caricia ligera que le envió una corriente de electricidad por todo el cuerpo.

Preguntó a Hans a qué se dedicaba y Hans dijo que era ingeniero petrolero y había pasado los últimos cinco años en un país del Golfo Pérsico, una experiencia que no le había dejado una buena impresión de los árabes del Golfo.

—Son unos hipócritas respecto al sexo y el alcohol.

Charlie intentó llevar la conversación de nuevo hacia Heriberto, esperando sonsacarle algo sobre su primo.

—Entonces, ¿tú conociste a Álvaro?

—¿Álvaro? —Hans puso cara de no comprender.

—Un novio que tuvo Heriberto en Nueva York. Un puertorriqueño. ¿No lo conociste?

—No.

—¿Heriberto nunca te habló de él?

—No recuerdo que Heriberto tuviera otra pareja entonces —dijo con una sonrisa enigmática.

Charlie se excitó al comprender lo que Hans insinuaba. Ahí estaba él, pensó, ligándose a quien había sido novio de Heriberto.

Txiki llegó con las bebidas y, viendo que estaban muy compenetrados, se disculpó y les dejó solos. Hans aprovechó para dar un paso adelante y poner la mano sobre la pierna de Charlie, lo que le provocó una erección instantánea.

Siguieron hablando sobre los árabes y sobre Nueva York, pero Charlie ya no volvió a preguntarle por Heriberto o Álvaro. De hecho apenas le escuchaba, concentrado ya sólo en aquel roce que le subía y bajaba por la pierna, palpando su erección...

Entonces aparecieron Beni y Mimí en la terraza y, al verles, vinieron hacia ellos. Mimí se dio cuenta enseguida de lo que estaba pasando y le hizo una sonrisa cargada de intenciones.

Charlie los presentó intentando comportarse con naturalidad, aunque se sentía cortado por una situación tan nueva para él. Era la primera vez que estaba acaramelado en público con un hombre, y la falta de costumbre le causaba turbación.

En su confusión, al ir a coger el *gin-tonic* que Txiki les había traído, el vaso se le escapó de la mano y se estrelló contra el suelo.

Se soltó de la caricia de Hans y empezó a recoger los vidrios con la mano, amontonando los pedazos grandes sobre la mesa.

—Mejor voy a buscar algo para recoger esto antes de que alguien se corte —dijo en español, disculpándose luego en inglés.

Mimí le acompañó a la cocina.

—¿Quién es ese tío? —preguntó cuando estuvieron fuera del alcance de los otros.

—Es el amigo de Txiki, ¿no te acuerdas?, el que estaba con él en la playa.

—Pues te echa los tejos descaradamente.

—Ya. Me gusta.

Charlie notó que Mimí se quedaba un poco sorprendida por esa confesión tan sincera.

—¿Y Heriberto?

Charlie la miró perplejo.

—Heriberto, nada —rió Charlie.

—¿Entonces por fin te has decidido a salir del armario? —dijo ella con un tono de triunfo que a Charlie le causó un poco de irritación.

—¿Es que no había salido ya?

Mimí notó su irritación.

—No sé. Tenía la impresión de que jugabas a dos barajas.

Charlie se quedó confundido.

—¿Qué quieres decir?

—Pues nada, que me parece que eres un poco calientabragas, ya te lo dije.

Charlie se quedó desconcertado por la acusación de Mimí. Habían llegado a la cocina y buscaron por los armarios un recogedor y una pala.

—¿Y eso a qué viene? —le preguntó.

Mimí fue abriendo alacenas y armarios hasta dar con los instrumentos que necesitaban.

—Viene a que vas echando los tejos por ahí para hinchar tu vanidad y luego te retiras.

Charlie pensó que Mimí había enloquecido. Su perplejidad aumentaba con cada cosa que le decía.

—¡Pero si yo no he echado los tejos a nadie! —protestó.

Mimí no respondió. Sacó la pala y la escoba de un armario debajo del fregadero y encontró una bolsa de plástico en un cajón. Cuando cruzaban el salón de vuelta a la terraza, Charlie la cogió por los hombros y le insistió en que explicara lo que había querido decir, pero, sin dar tiempo a que ella reaccionara de ninguna manera, apareció de la nada François, el francesito desaparecido, y, agarrándola a su vez por la cintura, se restregó contra su trasero mientras le murmuraba algo al oído. Mimí se quedó sorprendida. Sólo pudo pasarle a Charlie el recogedor y la bolsa antes de ser arrastrada hacia el centro de la pista, donde François se puso a hacerle una grotesca danza del amor que Mimí observó alucinada. Charlie le sonrió divertido y regresó a la terraza.

Tras recoger los fragmentos de vidrio, ponerlos en la bolsa y dejarlos en un rincón, Hans le tomó de la mano y le llevó a una de las habitaciones de arriba. Cuando cruzaban el salón, Charlie buscó a Beni o a Mimí, pero la casa se había llenado hasta rebosar y, entre el humo de los cigarrillos y las luces de discoteca que habían empezado a funcionar, Charlie sólo pudo distinguir sombras que bailaban al ritmo machacón de la música electrónica.

Subieron las escaleras y, tras recorrer el pasillo, se detuvieron a escuchar las voces y risas que salían de detrás de las puertas. Encontraron una vacía y se echaron en la cama. Charlie sintió el peso de Hans al abrazarle, su erección contra la suya. Alguien abrió la puerta. Reconoció el acento argentino de Beni y la voz de Txiki, pero Charlie ya no pensaba en otra cosa que en el cuerpo de Hans, lo demás no importaba.

Capítulo 16

Resaca

El sol pegaba ya fuerte. Charlie cerró los ojos y se dio la vuelta intentando ignorar la ardiente claridad que, apenas tamizada por los listones de madera de la persiana, proyectaba franjas horizontales sobre la pared, llenando la habitación de un aire sofocante. Empezó a contar hacia atrás a partir de mil, un viejo truco para dejar la mente en blanco en noches de insomnio, pero no consiguió ya substraerse a la materialidad de aquel cuarto ni de su cuerpo maltrecho tras los excesos de la noche.

Permaneció en un estado de atontamiento, evocando imágenes de la fiesta a las que su mente alucinada atribuía impresiones que él no recordaba haber sentido. Así, sintió repulsión por las caricias de Mimí en el banco de piedra y disgusto por los labios de Beni al besarle de camino a la fiesta. Incluso el recuerdo del roce de los dedos de Hans acariciándole el tobillo, que tanto le había excitado en su momento, se le hizo ahora desagradable.

Si por la noche se había sentido protagonista de una escena de *La dolce vita*, en la sofocante mañana le parecía haber caído en una pesadilla de película expresionista. Se sentía envenenado. El calor se le hacía cada vez más insoportable. La sábana estaba humedecida por el sudor y le venían unas dolorosas arcadas que a duras penas lograba controlar.

Al mostrarle la casa, Beni le había dicho que en aquellos cuartos del piso de arriba era «donde pasaba todo», y allí se encontraba él ahora, agonizando en una monumental resaca. Pero ¿qué es lo que allí había *pasado*?

Recordó la excitación de sentir a Hans recorriéndole el cuerpo mientras Txiki y Beni esnifaban cocaína junto a ellos. Tendido en la cama más o menos en la misma posición en la que se encontraba ahora, había dejado a Hans llevar la iniciativa. Sintió su lengua lamiéndole los pezones, mordisqueándole y llevándole a un éxtasis desconocido. Sintió luego otra lengua introduciéndosele en la boca —¿Beni?— mientras alguien más —¿Txiki?— le estimulaba otras partes del cuerpo. Charlie había aceptado aquel asalto concertado de forma completamente pasiva, dejándose llevar por una ola de sensaciones nuevas que apelaban directamente a su sistema nervioso, sorteando todo raciocinio.

Guiándole el cuerpo con movimientos expertos, Hans le hizo dar la vuelta y, mientras los otros dos le sujetaban, el holandés había ido penetrándole. Amordazado por la verga de Txiki, Charlie había ahogado un gemido de dolor pero cuando, una vez dentro, Hans había empezado a sacudirle con movimientos acompasados, haciéndole vibrar y estremecerse, el dolor había dado paso a un placer inimaginable. Hans había ido intensificando gradualmente el ritmo de la embestida, haciéndolo cada vez más violento hasta culminar en un orgasmo que les dejó a los dos rendidos, suspendidos en un éxtasis místico. No recordaba cuánto tiempo había permanecido arrobado de aquella manera, sintiendo la verga de Hans todavía dentro, oyendo jadear a Txiki y a Beni, empeñados en conseguir un orgasmo que las drogas hacían imposible.

Se quedó dormido sintiendo a Hans todavía dentro, y ya no recordaba nada más. ¿Pero dónde estaba Hans? Empezaba a ser patético ese despertar solitario después de cada polvo.

Consiguió arrastrarse hasta el pasillo y atinar con la puerta del baño. Se arrodilló frente a la taza del váter y vomitó violentamente. Estuvo mucho rato sintiéndose morir con cada espasmo, hasta que por fin no le quedó en el cuerpo nada más por echar. Se tumbó entonces en el suelo e intentó recobrar el control de sus músculos. Se prometió no volver a probar las drogas, cuyo placer efímero ahora pagaba con ese terrible sufrimiento.

Tomó conciencia gradualmente de la suciedad pegajosa en la que estaba tirado. Se levantó apoyándose en la loza de la bañera y, con precario equilibrio, consiguió meterse en ella y abrir el grifo. El agua tibia le serenó un poco. Tras la ducha, regresó al cuarto y se vistió. Bajó las escaleras y se encontró con la zona devastada que era el salón de la casa, donde el glamour de la noche se había convertido en caótica desolación. Por todas partes había botellas de cerveza abandonadas, vasos de plástico aplastados, ceniceros rebosantes de colillas y un olor nauseabundo a tabaco y bebidas fermentadas.

A pesar del calor, el aire le pareció fresco tras el olor a tabaco y restos de alcohol de casa de Txiki. Cruzó el jardín de los cactus hasta la cancela que daba al camino de ronda. Bajó por el sendero hasta la cala del chiringuito y, una vez allí, se zambulló en el mar. Después del desenfreno nocturno y el penoso despertar, la frescura del agua era un placer delicioso.

Después del baño fue al chiringuito y se tomó un agua de Vichy. La camarera de las mañanas fumaba un cigarrillo apoyada en la barandilla del bar, y Charlie envidió el aspecto saludable de la chica, resolviéndose decididamente a no sucumbir nunca más a los excesos de aquella noche.

De camino a casa, se encontró a la tía Irene, que iba para el mercado. Al ver su aspecto deplorable, le recomendó meterse en la cama.

Al llegar, Charlie subió al cuarto de baño y se duchó con agua caliente, quitándose el salitre del mar y los últimos restos de la noche. Después se echó a dormir.

Al despertar, la luz era ya de última hora de la tarde. Un atardecer luminoso, como lo eran todos en aquel pueblo, invitándole a aprovechar los últimos rayos de sol. Salió de casa y, todavía aturdido, fue una vez más hacia la cala del chiringuito. El paseo estaba empezando a animarse tras el letargo de la siesta. Los barcos de pesca regresaban a puerto y alrededor del muelle se daba la actividad usual de curiosos y compradores.

Al llegar a la playa, volvió a zambullirse en el agua transparente. Bajo la luz del atardecer, el mar, rosáceo, lila y verdoso, le pareció más bello aún que por la mañana. Luego se tumbó a secarse en los guijarros, escuchando las risas y los gritos de dos hombres que jugaban a las palas desnudos sobre la arena. Una ligera brisa le acariciaba la piel, las olas se estrellaban monótonamente contra las rocas. Charlie se dio la vuelta y cerró los ojos. La sensualidad de la tarde le trajo la imagen del cuerpo de Hans cabalgándole e, inevitablemente, sintió una incipiente erección.

Pero el regreso de la libido no le causó ningún gozo. Al contrario, una vez más, le dominó la tristeza de hallarse solo, sin tener con quién compartir la belleza de aquel instante. Se veía atrapado en un estado de insatisfacción permanente. Detestaba ese despertar siempre abrazando el aire vacío de su propio deseo, perdido en la soledad de sus sueños.

Se adormiló, entregándose de nuevo a la pequeña muerte que es el sueño. Deseó poder deshacerse de ese cuerpo que le aprisionaba para transformarse por fin en un adulto, libre para vivir algo más sólido que aquellas efímeras relaciones que le dejaban siempre la amargura de sentirse solo y desamparado. Anheló los brazos de un amor prodigioso como el de Heriberto y Álvaro. Quería sentirle abrazándole como las rocas acogían las aguas de la bahía. Se sintió traicionado por Hans, quien, tras despertarle la curiosidad y el placer, le había dejado tirado. Charlie quería romper el maleficio de la adolescencia. Ese estar encerrado en su propio ego sin poder darse a alguien que correspondiera a su deseo. Narciso que quiere romper el espejo y besarse en los labios de otro.

El ruido de un motor de barco irrumpió en la paz de la playa, despertándole. El sol había desaparecido tras el acantilado y la playa, orientada hacia el norte, se había quedado en sombra. El mar había adquirido ahora un brillante color plateado. Charlie sintió un escalofrío en la playa desierta. Consultó el reloj y, al darse cuenta de la hora, recogió sus cosas.

De camino al sendero vio a Beni sentado tras la barra del bar y se acercó a saludarle.

—Hola.

Beni alzó la vista de la revista que leía con desgana y, al encontrarse con Charlie, sonrió.

—¡Hey! ¿Qué hacés?

Charlie le devolvió la sonrisa, un poco azorado al recordar la noche anterior.

—¿Ya te recuperaste de la nochecita?

—Más o menos. ¿Tú qué tal?

—Che, un poco cansado, aunque me pasé todo el día durmiendo.

Quería preguntarle a Beni por lo que había ocurrido después de su orgía compartida, pero no le salían las palabras. Pensó en Albert, quien sin duda fanfarronearía lo indecible tras semejante experiencia.

Beni le guiñó un ojo.

—Contundente el holandés, ¿no?

Charlie sonrió un poco tímido.

—Sí, un buen polvo.

—¿El primero?

—¿Quieres decir que si era virgen?

El argentino se burló y se rió echando la cara hacia atrás. Iba vestido todo de blanco. Blanco pantalón y blanca camiseta con el logo de una discoteca o un bar sobre el corazón. Charlie pensó que ese es el corazón de las cosas y las personas como Beni: un corazón de bebidas y sexo.

Beni le miró de nuevo con ojos maliciosos.

—¿Lo eras?

A Charlie se le cruzó por la cabeza el recuerdo de Ernesto y el polvo deslavazado con el primo Heriberto.

—No. No lo era. ¿Por qué te pareció que era la primera vez? ¿Tan mal lo hice?

—No, che, para nada. Vos lo hiciste chévere. No seas boludo. Todo un profesional, chico. No, lo pensé por lo que vos me dijiste anoche de camino a casa de Txiki... y por la edad, claro.

Charlie no recordó haberle dicho nada especial.

—Bueno, tampoco soy tan joven, ¿no? Tengo edad de haber sido desvirgado varias veces.

—Sí, claro. Bueno. ¿Lo pasaste bien?

—Sí, muy bien, supongo, aunque la verdad es que no recuerdo mucho. ¿Y tú?

Beni sonrió.

—Pues una pena si no lo recordás, che, porque ese tipo te pegó una buena cogida.

—No, eso sí lo recuerdo, es lo que pasó luego lo que no sé... Me desperté solo en el cuarto esta mañana... ¿Dónde os metisteis todos?

—Yo me fui a dormir a mi casa. La cama era demasiado pequeña para tantos, y ustedes ya la tenían bien ocupada.

—¿Y Txiki?

Beni se encogió de hombros.

—Se iría a su cuarto, que para eso estaba en su casa.

Charlie asintió.

—Bueno, me voy —dijo.

—No tendrás malos rollos, ¿verdad? —preguntó Beni.

Charlie sonrió negando con la cabeza.

—Para nada, sólo que me sentí esta mañana como Cenicienta abandonado en medio de unas calabazas.

—Bueno, entonces espero que lo repitamos pronto —dijo haciéndole un guiño. ¿Vendrás luego por aquí? Seguro que a Txiki le gustará verte.

—No sé. A lo mejor después de cenar, pero hoy será una noche más tranquila.

—Eso ya se verá. Las noches de verano son impredecibles, como debe ser. Tenés que dejarte llevar.

—Hasta luego —se despidió Charlie.

Y diciendo esto, se alejó por la arena hacia los escalones del mirador. Una vez en lo alto del acantilado, se paró a mirar una última vez el espectáculo de la playa. Vio la luna creciente aparecer en el cielo y Charlie pensó que, para la siguiente luna llena, él estaría ya bien lejos, en alguna ciudad europea.

De regreso a casa a la luz del anochecer, el abatimiento en el que había estado sumido aquel día dio paso a una agradable sensación de relajación. También el pueblo se había sacudido el sopor de la tarde y mostraba un gran ajetreo. En la plaza del Ayuntamiento se congregaba la habitual aglomeración de turistas y veraneantes barceloneses.

Al otro lado de la plaza, en uno de los puestecitos de artesanía sudamericana, reconoció a una pareja de argentinos que había visto en la fiesta de Txiki, y le pareció que le lanzaban una sonrisa de reconocimiento. Él respondió con una leve inclinación de cabeza, un poco irritado por la impresión de sentirse vigilado, una sensación que se le agudizó al ver a Txiki haciéndole señas desde la mesa de un café. No le quedó más remedio que acercarse a saludarle. Empezaba a resultarle molesto ser continuamente reconocido. Echó de menos el anonimato de los primeros días, cuando había podido observar sin sentirse a su vez observado.

Txiki le ofreció una silla. Charlie declinó la invitación.

—Me espera mi tía —dijo.

—¿Qué tal te encuentras? —le preguntó Txiki.

—Bien.

—¿Recuperado?

Charlie asintió. No estaba seguro de cuál era la actitud correcta con Txiki después de lo que había habido entre ellos. ¿Debía hacer alguna alusión, o fingir indiferencia?

Finalmente su curiosidad se impuso sobre cualquier otra consideración.

—¿Dónde estabais todos esta mañana?

—¿Esta mañana? —Txiki puso cara de no comprender.

—Me desperté fatal, solo en la habitación.

—Ah, fui a llevar a Hans a la estación, y al volver no estabas ya en casa. ¡Yo que había comprado cruasanes para el desayuno!

—Fui a darme una sesión de talasoterapia.

—Je, je. Lo mejor para curar la resaca —dijo Txiki—, aparte de un buen Bloody Mary, claro. ¿Seguro que no quieres tomarte uno conmigo? Te sentará bien.

Charlie volvió a negarse. Txiki le clavó una miraba tan intensa que le hizo sentir inquieto.

—Así que Hans se fue a Barcelona —dijo Charlie.

—Así es. No quiso despertarte, pero me pidió que me despidiera de ti. Dijo que lo había disfrutado mucho y que esperaba que tú también.

Ahora fue Charlie quien esbozó una sonrisa maliciosa.

—Me temo que quizás estaba demasiado pasado de vueltas, ¿no?

—Es lo que tiene el alcohol. Ya lo dijo Shakespeare: «*Gives the wish but takes away the performance*», o algo así.

Charlie conocía la cita.

—Sí, es el portero del castillo, en Macbeth —dijo.

—Muy bien. ¿Te gusta Shakespeare? —Sin esperar la respuesta de Charlie, añadió—: ¿A quién puede no gustarle Shakespeare? Shakespeare dijo todo lo que hay que decir sobre la naturaleza humana. ¿Lo has leído?

—Bueno, leído no. He visto algo en el teatro, en Barcelona. En catalán siempre.

—¡Ah, en catalán! Bueno, mejor eso que nada, pero a Shakespeare hay que leerlo en inglés —dijo poniéndose a declamar unos famosos versos de Macbeth.

Charlie sonrió. Con su barba, su aspecto orondo y su sentido del humor, Txiki tenía más de Falstaff que de Macbeth.

—Me voy —dijo Charlie—. Se hace tarde.

—¿Qué vas a hacer esta noche?

Charlie se encogió de hombros.

—¿Quieres venir a casa?

—Pensaba ser un buen chico y descansar hoy después de lo de anoche.

—¡Ah, lo de anoche! ¿Disfrutaste?

Charlie asintió esbozando una sonrisa.

—Pásate por el chiringuito más tarde —le dijo Txiki impostando una voz militar—, es una orden, muchacho.

Tras despedirse de él, Charlie caminó entre la gente del paseo adoptando un aire de indiferente displicencia, y tan ensimismado iba que casi chocó con Virginie, quien venía en dirección opuesta acompañando a su madre. La señora entró en la tienda de comestibles y Virginie y él fueron hasta la barandilla del paseo.

—*Oh, là là! Hier soir!* Vaya jaleo que armaste —le dijo la chica.

—¿Yo? —preguntó él, sintiéndose ya decididamente irritado por aquel continuo desfile de gente hablándole de una noche que él apenas podía recordar.

—Mimí está muy mosqueada contigo.

—¿Y eso? ¿Por qué?

Virginie se encogió de hombros y puso morritos de una manera que Charlie encontró muy francesa, como de Bigritte Bardot.

—No sé, quiere verte. Dijo que iría luego.

Se despidió de Virginie y continuó hacia la casa de la tía Irene, preguntándose quién más estaría al corriente ya de sus andanzas nocturnas. Imaginó que Mimí habría ido extendiendo rumores y lanzando suposiciones por todo el pueblo. Aquella fiesta había sido toda una presentación en sociedad. Había dejado de ser un personaje marginal para convertirse en miembro de pleno derecho de la comunidad. ¡Y menuda entrada! Por la puerta grande. Nada menos que un *ménage-à-quatre* con el líder máximo de la sección libertina de la comunidad. Desde luego que no era lo que Charlie había esperado encontrar en aquel pueblo cuando partió de Barcelona unas semanas antes.

Pero esta nueva situación, que halagaba su amor propio y le restituía un tanto la autoestima perdida tras el desplante de Heriberto, también tenía sus desventajas. Había disfrutado hasta entonces observando desde la distancia, y ahora temía verse absorbido por aquel grupo de parranderos, convirtiéndose en el último juguete del gran líder, como Beni había pronosticado. Por otra parte, tenía que reconocer que hacer un trío con el líder del pueblo era todo un logro. Le hubiera gustado poder exhibir frente a Heriberto su popularidad recién adquirida.

Durante la cena, la tía Irene le dijo que la señora Sardá y ella iban a visitar un pueblo cerca de Perpiñán donde había unos baños termales que iban muy bien para el reumatismo.

—No te importa quedarte solo un par de días, ¿verdad?

—No, claro que no, pero ¿y Heriberto?

—Hablé con él esta tarde y parece que tiene que quedarse en Barcelona un poco más. ¡El pobre, con estos calores! Le dije que tenías pensado ir a Barcelona y le pregunté si te podía alojar en su apartamento. Podrías aprovechar mientras estamos fuera, ¿no?

La juventud sabe como nadie fingir indiferencia ante aquello que más le interesa.

—¿Y qué dijo Heriberto? —preguntó Charlie, que tuvo la impresión de que la tía Irene había tramado algo.

—Bueno, dijo que sí, pero mejor le llamas a ver, porque no estaba seguro de si era él quien se iba a venir para aquí. Te dejó un mensaje en el celular. ¿No hablaste tú con él todavía?

—No. Ya viste a qué hora regresé, y luego ni me acordé de mirar el móvil.

La tía Irene sonrió.

—¿Estuviste con Mimí?

—Sí, toda la noche.

—Estupendo. Me alegro de que te divirtieras. La juventud y el verano son para disfrutar.

Tras la cena, Charlie subió a su habitación y escuchó el escueto mensaje que le había dejado Heriberto: «Hola, Charlie. Llámame cuando puedas».

Inmediatamente marcó el botón de devolver la llamada, pero se encontró una vez más con el mensaje pregrabado anunciando que el número estaba temporalmente fuera de servicio.

Charlie dejó un mensaje tan escueto como el de Heriberto, y después se echó en la tumbona de la terraza, dándole vueltas a la sugerencia de la tía Irene.

Mimí llegaría de un momento a otro. No tenía mucho ánimo para enfrentarse a ella, pero sabía que ella no lo dejaría escapar fácilmente. Le daba pereza la consulta psicológica y el informe exhaustivo que ella le exigiría sobre Txiki y Hans.

El tono del teléfono móvil le interrumpió los pensamientos y vio en la pantallita que era Heriberto. El corazón se le aceleró.

—Charlie, por fin —dijo la voz del primo.

—Sí, por fin. ¿Qué tal va todo?

—Bien, ocupado, pero bien. ¿Y tú?

—Pues, ya ves, yo de vacaciones, sin hacer nada en particular.

—Espero que estés leyendo mucho.

Charlie estuvo tentado de explicarle que sí, que había estado leyendo su diario, una pieza más fascinante que cualquier ficción que se hubiera escrito jamás. Naturalmente se calló.

—No he leído tanto como quería. Al final me he visto liado con Mimí, ya sabes cómo es ella.

—Mmmm... ¿Has sido un mal chico, pues?

Bromeaba, claro, pero Charlie sintió la familiar indignación de ser tratado como un chiquillo.

—No, yo siempre soy un buen chico. ¿Y tú?

—Mis días de travesuras se terminaron hace mucho tiempo —contestó Heriberto—. Ahora todo lo que hago es trabajar.

—Pobrecito —se burló Charlie. Estaba convencido de que, entre una cosa y otra, Heriberto habría encontrado tiempo para echar una canita al aire.

Hubo una pausa de un segundo que, al teléfono, se hizo eterna. Charlie no sabía cómo continuar. Después de la noche anterior, sentía que algo había cambiado. Era como si hubiese traicionado a Heriberto.

—¿Cuándo te vas a viajar por Europa? —preguntó por fin Heriberto.

—La semana que viene.

—Tenemos que vernos antes. Me gustaría hablar contigo antes de que te vayas.

—Sí, a mí también me gustaría hablar.

Charlie buscó una palabra adecuada para designar lo que había sucedido la noche de luna llena, pero Heriberto, siempre presto con las palabras, no le dio tiempo a encontrarla:

—Ya sé lo que pensarás de mí, pero tuve muchas cosas que hacer en Barcelona.

—Ya.

Charlie calló.

—Lo siento, Charlie. De veras que sí. Pero mejor hablamos en persona. Mi madre ya me dijo que te querías venir a Barcelona un día.

—Bueno, tengo que bajar antes de irme, sí.

—Verás, es que yo no sé bien si estaré aquí pero, aunque yo no estuviera, tú puedes usar mi apartamento.

Charlie se sintió enfurecer. Conque eso era lo que quería Heriberto, escabullirse otra vez. Dejarle solo en Barcelona.

—Bueno, no te preocupes.

—Mira, déjame ver cómo lo puedo arreglar y te confirmo mañana. Estoy bien ocupado ahorita, ¿de acuerdo?

—Vale, ya me dirás algo, pero no hace falta que me quede en tu apartamento. Ya puedo buscarme la vida yo.

—Nos veremos en cualquier caso.

—Eso espero.

Charlie no le creyó. Estaba seguro de que Heriberto encontraría siempre una excusa para dejar que él se fuera a su viaje sin volver a coincidir. Despechado, se le ocurrió mencionar a Hans.

—Por cierto. Ayer conocí aquí a un holandés amigo tuyo.

—Ah, sí, Hans, ya me dijo.

Charlie se preguntó qué era lo que Hans le habría dicho exactamente.

—¿Le has visto ya?

—No, todavía no, pero hablé con él.

—Dijo que no te veía desde hacía muchos años, pero que os conocíais bien de Nueva York.

—Sí, Hans y yo tuvimos mucho trato en una época.

«En una época», repitió Charlie mentalmente, irritado porque los celos que había pretendido despertar en Heriberto mencionando a Hans le eran devueltos con creces. ¿Qué habría pasado entre esos dos en «aquella época»? Había querido despertar el interés de Heriberto y, como siempre, había sucedido precisamente lo contrario.

Al colgar, tuvo el claro presentimiento de que Heriberto no iba a llamarle al día siguiente y se desanimó imaginando otro largo día esperando su llamada con la mente en blanco, incapaz de concentrarse ni en la lectura ni en nada, sabiendo que entretanto Heriberto viviría ignorándole perfectamente.

Oyó llamar a la puerta y supo que sería Mimí. Tenía menos ganas que nunca de hablar con ella después de la conversación con Heriberto. Necesitaba silencio para decidir en soledad cómo actuar.

Se saludaron con un beso en las mejillas y la hizo pasar a la terraza. Los grillos ya habían reemplazado a las chicharras diurnas.

Mimí lo miró con intensidad:

—¿Y bien...?

Charlie sabía lo que Mimí quería que él le contara, pero se hizo el ingenuo. Si quería información, tendría que trabajársela.

—Me he jurado no volver a probar las drogas.

—¿No te lo pasaste bien anoche? —preguntó ella.

—Hasta cierto punto.

—¿Hasta qué punto?

—Tendría que haberme sabido retirar a tiempo —dijo él.

—No funcionó, pues.

—¿El qué?

—El holandés.

—¿Hans? Hasta cierto punto.

—No te hagas el misterioso.

Charlie rió.

—Estaba demasiado pasado. ¿Sabes lo que dijo Shakespeare sobre el vino? —dijo recordando a Txiki en el café.

—No te me pongas culto.

—... Da el deseo, pero impide la consumación.

—¿No hubo consumación, pues?

—No —mintió él.

—Pues no es lo que a mí me han contado.

Charlie fingió sorpresa.

—¿Y quién te lo puede haber contado?

—Pues imagínatelo, alguien que estuvo allí, así que no me vengas con misterios y vete al grano.

—Pero si ya lo sabes todo, ¿para qué quieres que yo te lo repita?

—Siempre hay diferentes versiones. A mí me gusta llegar a mis propias conclusiones.

—Beni, ¿no? ¿Qué te ha contado?

Ella calló y empezó a liar un porro de marihuana. Charlie cerró los ojos y pretendió sucumbir a un ataque de sueño.

—Fue una noche inesperada —dijo Mimí.

Charlie siguió con los ojos cerrados pensando en la conversación con Heriberto y en la forma en la que iba a forzar su entrevista con él. Lo mejor sería ir a Barcelona y ver qué pasaba.

—¿No me vas a contar nada?

Charlie abrió los ojos. Tomó el porro que ella le ofrecía.

—No hay nada que contar.

—Siempre dices eso.

—Es que nunca lo hay.

—Y sin embargo me dejaste a mí humillada para subirte con ellos.

Charlie la miró sorprendido.

—¿Humillarte yo? —preguntó, dando una calada profunda—. No humilla quien quiere, sino quien puede, y no creo que yo, pobre de mí, pueda humillarte.

—Pues ya ves, así fue como me sentí —dijo ella.

Él la miró preguntándose si hablaba en serio.

—¿Por qué?

—Porque te he estado yendo detrás como una perra y vas tú anoche y me dejas tirada. Ya es la segunda vez que me lo haces. ¡Y para irte detrás de esa puta de Txiki!, que me odia y sólo quiere usarte para humillarme a mí.

Charlie se quedó perplejo, pues creía haber sido en todo momento perfectamente franco con ella. Le había confesado su homosexualidad y hasta le había contado su fascinación por Heriberto.

Así se lo dijo, pero Mimí estaba inmersa en su propia interpretación de las cosas y no iba a permitir que la verdad estropease su idea.

—No me fui con Txiki, sino con Hans, y, si no recuerdo mal, tú estabas muy ocupada con tu François, ¿no?

Ella hizo un gesto de disgusto, como si el francés no tuviera nada que ver con lo que estaba diciendo.

—Mira, Charlie, desde el primer momento en que apareciste por aquí te he estado echando los tejos y lanzándote cables, y tú respondiste siempre siguiéndome el juego, dándome a entender cosas. Yo te había tomado por mi amigo y mi especial confidente y, ¿qué quieres que te diga? Lo de anoche me pareció una putada.

Charlie pensó que Mimí se había vuelto loca.

—¿Cómo puedes decir eso? Primero, que tú estabas con tu François y, segundo, ¿no te he confesado ya acaso, o mejor dicho me has hecho confesar tú, que soy homosexual y que me gusta mi primo? ¿Cómo me sales ahora con esas?

—Sé sincero, por favor. Ayer en la playa tú estuviste todo el rato dándome cuartel, hasta el punto de que yo apenas pude disfrutar de los mimos del pobre François, porque estaba más por tu juego que por el de él, que es un cielo pero es demasiado niño y no es mi estilo. Después, cuando estuvimos juntos en la discoteca, me seguiste el rollo. ¿O es que no te acuerdas de los mimos que me hiciste en el mirador del jardín? Y luego vas y te llevas a Beni, y me quedo yo sola como una pava.

—Lo siento mucho. Todo esto es un malentendido. Yo nunca he pretendido jugar ni seducirte ni hacerme el...

—Pregúntale a Virginie o a Beni —interrumpió ella—, a quien quieras. Todo el mundo me ha dicho que tú estabas por mí, que estabas en la cuerda floja, sí, pero que te sentías atraído por mí sin duda. No me vengas ahora con que son sólo imaginaciones mías.

Charlie estaba a punto de decirle que en efecto eso era todo, porque él sinceramente nunca le había «echado los tejos» ni «cables», como ella pretendía, pero se contuvo al comprender que Mimí, que siempre le había parecido tan fuerte y decidida, con su ironía y sus aires de mujer fatal, era en realidad tremendamente vulnerable. No quiso herir aún más su amor propio.

—Mimí, de verdad que no tengo ni idea de lo que me estás diciendo. No sabía que te afectara tanto lo que yo haga o deje de hacer y te aseguro que jamás se me pasó por la cabeza que estaba haciendo algo que pudiera ofenderte. Ya hablamos de esto una vez y te dije entonces que me van los tíos. Ayer se me presentó una oportunidad y lo hice sin pensar más. No tienes derecho a montarme este rollo de esposa engañada.

—Bueno, pues serán imaginaciones mías, pero ya te digo que no soy la única que lo ve así. Escucha, no es que quiera yo acostarme contigo o nada que se le parezca. No necesito que nadie me compadezca ni tengo que mendigar el afecto de nadie, pero perdona que te diga que hubo algo grosero en la manera en la que tú me dejaste plantada para irte con Txiki.

—Con Hans —puntualizó él.

—Con Hans, con Txiki y con cualquiera que se te pusiera por delante —dijo ella enfurecida.

—Menos contigo —remató él, hiriéndola adrede, aunque inmediatamente se arrepintió de su crueldad—. Bueno, háblame ahora de Txiki —añadió conciliador—. ¿Por qué te sienta tan mal que yo me acostase ayer con él?

—Txiki es un misógino de cuidado. Odia a las mujeres y especialmente me odia a mí.

Mimí parecía de pronto al borde de las lágrimas. Para consolarla, Charlie le puso la mano sobre la suya, aunque todavía se sentía molesto por la manipulación emocional a la que le estaba sometiendo.

Charlie no era tan ingenuo para creer que Txiki pudiese realmente odiar a Mimí. Seguramente le era completamente indiferente. En cualquier caso, decidió no contradecirla y dejó que se explayase a sus anchas. Se sintió identificado con las ilusiones descabelladas de aquella chica. Veía en ellas un reflejo de su propio deseo de seducir a Heriberto. Sentía que eran iguales. ¿Acaso no se había montado con Heriberto películas que existían sólo en su imaginación?

Mimí sacó su caja de las drogas y empezó a liar otro porro.

—Bueno, entonces, no quieres realmente nada conmigo. Tendré que aceptarlo.

—Mira, Mimí. No he pretendido nunca irte detrás ni jugar con tus sentimientos. Al contrario, pero me halaga lo que dices.

—Ya te he dicho que no necesito tu piedad —dijo ella.

—Pero te aseguro que todo lo que digo es la pura verdad. Lo puedo comprender porque es precisamente lo mismo que he hecho yo con mi primo. Acabo de hablar con él y he estado a punto de echarle en cara que me haya dejado aquí colgado, pero me he callado porque no tengo ningún derecho a agobiarle. Todo ha sido una historia que yo me he montado. No tengo ninguna base para acusarle de nada. Todo ha sido eso... una ilusión mía, nada más. Heriberto no ha movido ni un dedo, igual que yo pienso que tampoco yo hice nada para que sacaras esas conclusiones sobre mí.

Mimí había terminado de liar el porro y ahora aspiraba el humo con dedicación.

De pronto rió, como si todo hubiera sido una broma.

—Me parece que hay cosas que todavía no me has contado de Heriberto y tú.

Charlie se alegró de que Mimí se hubiese calmado un poco, aunque fuera a costa de tener que ponerse a darle explicaciones.

—Tampoco hay nada más que contar. Lo que ya te he dicho, que yo me monté la película y Heriberto pasa de mí.

—¿Eso es lo que te ha dicho él?

—Más o menos.

Mimí propuso ir al bar de Txiki. Charlie supo que eso no iba a ser el final de la curiosidad de Mimí.

El bar estaba bastante vacío a esa hora. Se encontraron a dos de los amigos holandeses de Mimí y ella se quedó charlando con ellos mientras Charlie iba a hablar con Beni en la barra.

Beni le dijo que Txiki estaba durmiendo y seguramente vendría más tarde.

Mímí le llevó a una mesa alejada en una esquina, desde donde podían controlar la entrada del bar.

—Cuando llegue Txiki quiero que me beses —le dijo.

—¿Y eso?

—No quiero que se salga con la suya y piense que me ha robado un amante.

—Estás como una cabra.

—Tal vez, pero tú me besas y se acabó.

—Pero es una mentira.

—Seguro que no es la primera mentira ni será la última que tienes que contar en esta vida.

Capítulo 17

Música lejana

En cuanto el coche de la señora Sardá desapareció al doblar la esquina, subió al cuarto, metió un par de cosas en la mochila, cerró la casa y se fue derecho a la parada de autobús rogando por no encontrarse con Mimí o cualquier otro conocido que le obligase a dar explicaciones. No podía emprender su viaje sin dejar aquello resuelto de una manera u otra. Necesitaba una crisis, un momento dramático que aclarase el aire. Temía que la falta de un desenlace satisfactorio condicionase no sólo su disfrute de Europa sino de todo el resto de su vida.

Así que ahí estaba rumbo a Barcelona, determinado a quemar sus naves enfrentándose de una vez por todas a Heriberto. Se sintió aliviado cuando el microbús dejó atrás el pueblo, donde, a pesar de las playas y las fiestas, se había sentido enjaulado. Como los concursantes de los programas de «telerrealidad», que estaban tan de moda entonces. Se imaginó víctima de un productor sádico que le hubiera encerrado en aquel pintoresco lugar para ser juzgado por el público televidente. En cualquier momento, le llamarían a un estudio, donde una presentadora muy pizpireta revelaría el veredicto de los espectadores. Antes, Txiki, la tía Irene y los demás testigos habrían desfilado por el plató ofreciendo su opinión a un panel de expertos psicólogos.

Mimí daba el perfil perfecto de la presentadora inquisitiva. El otro día, al salirle con todas aquellas majaderías sobre los «tejos» y los «cables» que le había echado, tuvo la embarazosa impresión de estar sometido a uno de esos interrogatorios de concurso televisivo cutre.

«Bien. Hoy ha llegado la gran final», pensó. El concurso terminaría con un esperado *tête-à-tête* entre Heriberto y él. Se sentarían uno frente al otro e iniciarían un catártico combate de acusaciones cruzadas, interpretando cada uno a su manera las acciones del otro, combatiendo como gladiadores romanos para entretener a un público amodorrado de sábado por la tarde.

—Tú te lanzaste sobre mí aquella noche —le acusaría Heriberto.

—Tú me dejaste tirado —contraatacaría él.

Al final, como no podía ser de otra manera, Charlie saldría humillado. Su única defensa era su candor adolescente, pero hasta ese ápice de simpatía desaparecería cuando

Mimí sacara por sorpresa el diario de Heriberto, ofreciéndolo como prueba final de la acusación. El público presente en el estudio, indignado por la desvergonzada indiscreción de Charlie, se pondría definitivamente del lado de Heriberto y el voto de los televidentes corroboraría el veredicto del plató. Culpable. El programa terminaba y Charlie era manteado por Mimí y los demás, riéndose y jaleándose con espíritu festivo mientras Heriberto sonreía condescendiente.

A medida que el tren se acercaba a Barcelona, los campos y las colinas boscosas dieron paso al paisaje suburbano de rotondas, naves industriales y grandes superficies comerciales. Aquel anonimato urbano al que pertenecía le reconfortó, aunque también le aumentó la inquietud de acercarse a Heriberto.

Charlie había dormido mal. En parte por el calor, pero sobre todo porque había estado dándole vueltas a lo que iba a decirle a su primo. Creía haber conseguido prepararse un guión más o menos coherente, pero ahora que ya faltaba tan poco para verse cara a cara, empezaron a asaltarle las dudas. Confiaba en que la candidez de su amor compensara los defectos de forma en su exposición, pero no estaba seguro de la firmeza con la que sería capaz de sostener sus argumentos una vez que tuviera delante la inconmovible honestidad de Heriberto.

Había intentado llamarle varias veces para confirmarle su llegada pero, como siempre, se encontró con el irritante buzón de voz. Esta vez, no obstante, con voz decidida, le había dejado un mensaje. Además, para asegurarse, le mandó también un SMS. Luego mandó otro a Albert para anunciarle que ya estaba llegando a Paseo de Gracia y confirmar que quedaban en la entrada de la FNAC.

Se alegró de hallarse de nuevo en la ciudad después de lo que le parecía una eternidad de exilio costero. Caminó por el paseo de Gracia en dirección al bullicio de la plaza Cataluña, deleitándose en las multitudes de turistas que fotografiaban los edificios de Gaudí, el ruido del tráfico y el ajetreo urbano de las aceras. Se sintió en casa, feliz de vivir en aquella ciudad cosmopolita y ultracivilizada, en el mismísimo centro de ella. Pensó que sin duda las ciudades que visitaría bien pronto le impresionarían con su historia y su arquitectura, pero dudó que ninguna lograra seducirle lo suficiente para abandonar ese puerto mediterráneo en el que había tenido la fortuna de nacer.

Había entrado en el frescor del aire acondicionado de la FNAC cuando le sonó el móvil. Aunque esperaba su llamada, sintió una punzada en el estómago al ver el nombre de Heriberto en la pantalla.

—¿Heriberto?

—Sí, hola. Acabo de ver tu mensaje. ¿Estás ya en Barcelona? Estupendo. ¿Qué tal todo?

—Bien, todo bien. ¿Cómo quedamos?

—Tengo cosas que hacer —dijo Heriberto—, así que no quedaré libre hasta tarde, pero puedo invitarte a cenar.

—¿En tu casa? —propuso Charlie, intentando forzar el encuentro en un lugar donde pudieran hablar a solas.

Pero Heriberto no se dejó llevar.

—No, acá no tengo nada. Además no tengo tiempo de ponerme a cocinar.

—No hace falta que cocines, por mí como si quieres que nos subamos unas pizzas —insistió Charlie.

Heriberto puso voz horrorizada.

—No, no. Nada de pizzas. Te invito a un restaurante como Dios manda. ¿Conoces el Café San Francisco?

A Charlie le sonaba el nombre, pero no tenía ni idea de dónde estaba.

—En la calle Casanova con Diputación, en la esquina. ¿Sabes dónde queda eso?

Por supuesto que Charlie lo sabía. Recordó entonces que el San Francisco era uno de los restaurantes gays que había visto anunciados en el mapa-guía de la Barcelona homosexual. Al lado de una renombrada sauna gay abierta las veinticuatro horas. Charlie había pensado pernoctar allí si, tal como imaginaba, las cosas no funcionaban con Heriberto.

—Ajá, sí.

—¿Las ocho y media es pronto para cenar? —preguntó Heriberto.

No, las ocho y media era una hora perfecta. Charlie pensó que podía hacer sus recados, verse con Albert y aún tener tiempo para poner en orden sus pensamientos antes de la cita.

Al colgar, una ráfaga de adrenalina le subió por el cuerpo. De buena gana se hubiera puesto a correr como un chiquillo para desahogarse. Todavía no sabía exactamente lo que esperaba conseguir. Sospechaba que Heriberto no iba a facilitarle nada las cosas, pero el mero hecho de que hubiese aceptado aquella cita le parecía una especie de triunfo.

Era muy improbable, reflexionó, que Heriberto respondiera de la forma que él deseaba, echándose en sus brazos y confesándole que le amaba y que se había alejado de él para evitar verse convertido en un Humbert persiguiendo a su Lolita pero, cualquiera que fuera el resultado, sería mejor que la mortificante espera de los últimos días.

Se encontró a Albert bastante pasado de vueltas. Sus padres se habían ido a la *torre* y por lo visto llevaba días fumando hachís de la mañana a la noche. Le entregó el dinero que habían acordado y salieron a comer a una sandwichería de la calle Balmes. Charlie le hizo un resumen de todo lo que le había pasado aquellos días. Omitió muchas cosas y se inventó otras para añadir un poco de efecto, porque aquella historia, si se contaba tal cual, se quedaba en nada. Albert le escuchó con interés no exento de cierto morbo, haciéndole alguna pregunta y algún comentario, pero Charlie pudo ver que Albert no comprendía su obsesión por un hombre tan «mayor». Otra cosa hubiera sido si, en vez de un intelectual mexicano de mediana edad, hubiese sido una señora estupenda. Después de almorzar volvieron al piso y estuvieron fumando más porros. Albert habló de su chica y de su viaje a Inglaterra, y entonces fue Charlie el que escuchó sin mucho interés. Albert le sugirió que cambiara su itinerario para coincidir los dos en Londres.

—¿Te imaginas? ¡En Londres, en el meollo! Esta gente conoce a todo el mundo. Modelos, artistas, gente de música... Será entrar por la puerta grande.

Charlie pensó lo mucho que habían cambiado las cosas para él ese verano al darse cuenta de que recibía con indiferencia una sugerencia que en otros momentos hubiera aceptado entusiasmado. Dijo que le gustaría, pero que seguramente no podría llegar a Londres para esas fechas.

Albert se conectó entonces a Internet para buscar un billete de avión *on-line* y Charlie salió a hacer sus compras.

En realidad, las compras que había usado como excusa con unos y con otros eran pura ficción y, al salir de casa de Albert, se encontró caminando por las calles de la ciudad en el bochorno de las primeras horas de la tarde sin nada específico que hacer. Caminó buscando las aceras sombreadas de las calles del Eixample, desiertas a la hora de la siesta. Muchas tiendas estaban cerradas por vacaciones y apenas había tráfico.

El encuentro con Albert le había dejado un sabor agridulce. Recordó el día en que se habían conocido en el primer curso de secundaria. Un año de cambios bruscos, tan dramáticos como los que ahora estaba experimentando. Hacía ya cinco años de eso, y le costaba evocar la angustia al entrar por primera vez en el edificio gris del instituto. Pensó que en cinco años más habría acabado la carrera, y este verano que tan lento avanzaba ahora se le desvanecería en la memoria, igual que aquel primer día de instituto. Por eso era importante escribir, pensó, recordando la impresión profunda que le había causado descubrir la capacidad del diario de Heriberto para rescatar del olvido la experiencia perdida en el curso del tiempo.

El instituto estaba en un extremo del famoso barrio del Raval, al lado de la ronda de Sant Pau. Por aquellos años era ya una zona ocupada principalmente por inmigrantes llegados de todo el mundo, atraídos por el *boom* económico de principios del milenio. Tanto era así que, aquel primer día, Albert y él habían sido los únicos chicos no «étnicos» de su clase. El resto de su grupo, el 1° E, era, o bien de origen marroquí —como Sabir, al que conocerían un poco más tarde—, o bien de alguna república hispanoamericana.

Por timidez o por un racismo inconsciente, se habían sentado juntos. De una manera igualmente inconsciente, Charlie ya entonces se había sentido atraído por la belleza del que pronto se convertiría en su inseparable amigo. Apenas tuvieron tiempo de presentarse e intercambiar unas palabras antes de que entrara la tutora del curso y se hiciera ese silencio que se hace en las aulas el primer día de clase, especialmente en el primer nivel, cuando todos son nuevos y se sienten todavía descolocados por haber roto con el mundo confortable y familiar de la escuela primaria. Ese primer día, los alumnos calibran la fortaleza de los profesores y van calando de qué pie cojean sus compañeros. Es un silencio que dura hasta noviembre. Para entonces, ya se han formando grupitos y los que empezaron el curso dispuestos a trabajar duro y a superarse van desencantándose a medida que reciben notas negativas, cubriendo la vergüenza de sus fracasos con una actitud de indiferente pasotismo.

Pero aquel día la Montse de *mates*, su tutora, todavía imponía respeto y todos escucharon con interés la lista de clase que leía con sus gafas de miope. Cada vez que decía un nuevo apellido, todos giraban la cabeza para observar a los que iban a ser sus compañeros de clase.

Durante ese ritual fue cuando Charlie cayó en la cuenta de que Albert y él eran los únicos chicos «nativos». Esto era así porque los padres de clase media preferían enviar a sus hijos a un colegio concertado, donde pensaban que estarían a salvo de aquellas hordas de ignorantes de tez oscura. Maribel, además de no poder pagar una escuela privada, había sido siempre una recalcitrante izquierdista y no compartía esos prejuicios. Entre los apellidos castellanos de los ecuatorianos o dominicanos y los más exóticos nombres magrebíes, el apellido germánico de Charlie causó un cierto impacto.

—Carlos Hagen —leyó la profesora.

Se oyeron risas que hicieron a Charlie ruborizarse un poco.

—Carlos cague —se burló alguien.

—«Hagen Dazs» —dijo otro, y toda la clase rió con una risa nerviosa que era en realidad una manera de aflojar la tensión que producía aquel primer día escolar. Una mirada glacial de la Montse de mates, todavía la señorita Andreu, puso fin a aquel primer desmán.

Charlie estaba ya acostumbrado a esas bromas tan poco originales. Las había tenido que soportar a menudo en su escuela primaria.

Entre el barullo que se armó en esos breves instantes, premonición de lo que se convertiría en norma en un par de meses, Albert le sonrió.

—Como Nina Hagen —dijo.

Charlie se quedó boquiabierto. Nina Hagen era una oscura cantante *punk* alemana que él había descubierto entre la colección de viejos vinilos de su madre. Nunca hubiera imaginado que otro chico de su edad hubiera oído hablar de ella. Había tenido notoriedad cuando Maribel era joven, pero luego había desaparecido por completo, perdida en rollos místicos New Age.

Así que, aparte de por el atractivo de Albert, Charlie se había sentido inmediatamente atraído por los conocimientos musicales de su compañero de pupitre.

Cuando salieron al patio, Albert le dijo que era repetidor y venía rebotado de uno de los colegios de curas más famosos de Barcelona.

—Son unos *mariconazos*, los curas —le había dicho Albert, y la palabra se le quedó a Charlie grabada en la memoria. En los años sucesivos, a medida que fue progresivamente asumiendo su sexualidad diferente, había evitado celosamente cualquier demostración afectiva que pudiera convertirle, a los ojos de Albert, en sospechoso de ser como aquellos curas reprobados.

Albert conocía a la excéntrica Nina Hagen porque tenía un tío que trabajaba en TV3 que había sido *punk*. Cuando sus padres salían de cena o se iban de fin de semana, a menudo le dejaban en su casa y él le ponía discos antiguos.

Los dos chicos descubrieron tener un gusto musical muy bien informado para su edad, y esa afinidad fue la base sobre la que construyeron su amistad como un frágil castillo de naipes que ahora Charlie sentía que se había derrumbado.

Durante algún tiempo aún seguirían llamándose, quedando para ir al cine o a algún concierto, pero a Charlie le había quedado claro que la amistad incondicional que habían disfrutado esos cinco años se había terminado. Se imaginó las llamadas espaciadas del otoño siguiente, las salidas puntuales a alguna discoteca y finalmente el silencio absoluto. En cinco años más ya ni se verían.

Charlie iba pensando en esto mientras vagabundeaba sin rumbo por las calles del barrio de Sant Antoni. Era una vieja costumbre suya. Desde más o menos el mismo otoño en el que conoció a Albert, había empezado a recorrer a solas la ciudad, imaginándose historias.

Le gustaba hacerlo los domingos por la tarde. En invierno, caminaba bajo la luz blanquecina de las farolas embutido en un grueso plumón, con las manos en los bolsillos y la vieja gorra que había pertenecido a su padre. Miraba los balcones iluminados y se imaginaba las historias que habría tras persianas y celosías. No las historias de la gente que las habitaba entonces, sino la que había vivido allí mucho antes, en un remoto pasado, porque aquellos paseos suyos habían sido un viaje por el tiempo tanto como por el espacio. Le gustaba la soledad y la ausencia de tráfico de las calles del Eixample en las tardes de domingo. En el silencio que se apoderaba de ese barrio en los anocheceres tempranos del invierno, las solemnes fachadas modernistas cautivaban su imaginación. Subía por la calle Enrique Granados hasta la Diagonal y allí tomaba una decisión: a la izquierda hacia los barrios ricos o a la derecha, internándose en el laberinto del barrio de Gracia. A veces continuaba muy lejos hasta Sarriá y las mansiones de Pedralbes, donde visitaba la casa *noucentista* que había pertenecido a la familia de su padre, convertida ahora en una famosa escuela de administración empresarial.

Proyectaba en la gente y los paisajes urbanos cosas que había aprendido en las asignaturas escolares. Cada ruta le sugería historias diferentes, estimulándole un estado de ánimo distinto. Le gustaban las viejas villas del barrio rico de la Bonanova y las Tres Torres que se habían quedado atrapadas entre modernos bloques de pisos de lujo. Había una de estilo inglés en la calle Muntaner y otra modernista en la esquina de Casanova con la calle Londres, y muchas más en las calles cercanas a la Vía Augusta. Las que habían sobrevivido se habían reconvertido en escuelas, clínicas privadas o residencias para la tercera edad, y su antiguo esplendor burgués había sido destruido por salidas de emergencia, edificios adicionales y rampas para minusválidos. Los jardines habían sido vendidos por los herederos de los grandes señores, que las construyeron allá por los años veinte, y los bloques de apartamentos empequeñecían las magníficas villas de antaño.

De pronto, un antiguo cenador de columnas neoclásicas o una pérgola en una terraza le despertaban imágenes de lánguidas jovencitas burguesas como las que aparecían en las novelas que les hacían leer en la clase de literatura catalana. Las Marionas Rebulls y las Montses Casadessús. Muchas veces se había preguntado cómo esperaban sus profesores que sus compañeros de clase, nacidos al otro lado del estrecho de Gibraltar o venidos del otro lado del Atlántico, se identificaran con aquellas insustanciales novelas, tan ancladas en un localismo que resultaría incomprensible para quienes apenas salían del antiguo recinto amurallado de la ciudad.

Pero él encontraba algo interesante en todos los libros y, al pasear por la Vía Augusta, a veces reconocía en las rubias oxigenadas que aparcaban sus *scooters* en las aceras a las legítimas herederas de aquellas chicas que, en los años veinte, habían «bajado» a Barcelona desde Sarriá o San Gervasio para ir al Liceo o recibir clases de piano en el Conservatorio.

La ruta del barrio de Gracia la asociaba inevitablemente con las novelas de Merè Rodoreda que leían en la escuela, y también con la clase de historia. Caminando por las estrechas callejuelas, recreaba a los anarquistas y revolucionarios que habían conspirado contra la burguesía de los barrios ricos, planeando la destrucción del capitalismo desde los húmedos talleres de ese barrio proletario. Le fascinaba la huella que la historia había dejado en el espacio urbano y veía en las chicas de trenzas rastas, *piercing* y vestimenta bohemia un eco de las viejas luchadoras libertarias que ilustraban el capítulo sobre movimientos obreros de su libro de historia. Si se encontraba de pronto con una calle adoquinada, le venía enseguida el recuerdo de la Semana Trágica y la feroz represión de la Guardia Civil contra los trabajadores opuestos a la Guerra de África, el continente del que venían ahora sus compañeros de clase (Sabir había nacido en Larache).

Le gustaban las casas viejas que le permitían soñar con los antiguos habitantes, y pensar en esas vidas le ponía en un estado de exaltada melancolía. A pesar de los trepidantes momentos históricos que se vivían, el presente no tenía para él la misma capacidad creativa. Era el pasado lo que le fascinaba. El espíritu de la historia animaba también su viaje europeo, que sería como la culminación a lo grande de todos sus paseos solitarios por la ciudad.

Era consciente de que ese carácter nostálgico suyo no sería comprendido por sus compañeros, y por eso nunca había compartido con nadie, ni con Albert siquiera, el placer de sus vagabundeos por la historia. Los barrios nuevos que habían crecido más allá de los núcleos históricos de la ciudad no le interesaban en absoluto. Ocasionalmente, había caminado por barrios construidos en el feísmo arquitectónico moderno, reviviendo la historia más reciente de la ciudad, pero, por lo general, se había limitado a las fronteras del siglo XIX y la primera mitad del XX.

Sin embargo, esa tarde las calles de la ciudad no le despertaron ninguna ensoñación poética. Miró los edificios sin encontrar en los balcones abiertos ninguna evocación del pasado. Ahora necesitaba realidades, abrazarse a un cuerpo como se había abrazado a Ernesto y a Hans sin que ese cuerpo se desvaneciera al día siguiente.

Cruzó la ronda de Sant Antoni y entró en el Raval por la calle del Carmen en dirección a las Ramblas. Estaba un poco nervioso a medida que se acercaba el momento de su cita. Intentó concentrarse en lo que había pensado decir a Heriberto, pero la mente se le había quedado en blanco. Llegó al patio gótico de la biblioteca, donde tantos porros había fumado con Sabir y Albert en el pasado, y se sentó en un banco escuchando la vida a su alrededor.

Es extraño cómo uno se queda dormido apenas un par de segundos y, al despertar, alertado tal vez por el repentino rechinar de unos frenos o el motor de una motocicleta a escape libre, parece que uno haya estado durmiendo horas. El cerebro desconecta la conciencia de los sentidos y saca información almacenada mucho tiempo atrás.

Eso le sucedió a Charlie en aquel patio gótico. La mente le viajó a las tardes en casa de la tía Irene cuando escuchaba la música lejana y distante de alguna fiesta o las voces de los corros que se reunían al anochecer en la plaza de la iglesia. Sintió envidia de aquellos jóvenes anónimos que se divertían sin ninguna preocupación. Para él todo placer parecía tener forzosamente un lado oscuro.

A través de la calma de la tarde, le llegó entonces la música de una guitarra que le incitaba a disfrutar de la vida y a ser paciente. Las cosas sucederían. No podía hacer nada por apresurarlas... pero ¿y si nunca sucedían?

Capítulo 18

Heriberto

Heriberto no echaba en absoluto de menos la juventud que había dejado atrás. Haber visto la muerte tan de cerca le había convertido en un estoico. Cada mañana, al verse reflejado en el espejo y hallarse una nueva cana en el pelo o una nueva arruga en la cara, sonreía con resignación, aceptando los estragos del tiempo como el precio que uno paga por vivir. La alternativa era mucho peor. Había ido abandonando gradualmente la idea de dirigir su vida hacia un propósito elevado y magnífico, concentrándose en vivir de forma austera, rechazando las pasiones que se interponen entre el hombre y la felicidad.

La ambición de gloria que una vez le había animado había sido sustituida por la persecución de pequeñas satisfacciones y la consecución de sencillos placeres. El olor del mar, la belleza de un paisaje, la contemplación de un cuadro o incluso una buena cena le bastaban para sentirse razonablemente feliz. Aceptaba la desilusión como un estado natural de las cosas y vivía día a día según principios que había ido construyéndose a partir de la lectura de filósofos presocráticos y maestros taoístas. Había aprendido a usar la mente para disfrutar de las cosas en lugar de usar las cosas para deleitar la mente.

De joven había ambicionado ser un periodista brillante, comprometido con el cambio social y la denuncia de la corrupción moral que asolaba México y todo el absurdo continente latinoamericano, al que para bien o para mal pertenecía, a pesar de su pasaporte gringo. Pero, tras unos años recorriendo esa ciudad de la chingada que es el México DF, mendigando encargos y sufriendo desengaños, había terminado por abandonar la idea de convertirse en el Tom Wolfe latino. Se instaló en Nueva York y decidió conformarse con el confortable nicho profesional en el que ahora se hallaba. Era un competente escritor de biografías y de libros de viajes sin ninguna ambición por convertirse en un autor influyente ni interés por participar en la feria de las vanidades neoyorquina.

Sabía que, a su edad, seguía resultando atractivo, y eso halagaba el resto de vanidad que aún le quedaba. Pero, aunque no hubiese sido así, no le hubiese importado. Desde la muerte de Álvaro y el descubrimiento de su estatus seropositivo había vivido más o menos ascéticamente, renunciando al deseo que había guiado sus años de juventud. Si tenía algún deseo, era el de librarse de la tiranía del deseo. Condición indispensable para alcanzar la felicidad, según las doctrinas de Epicuro y Lucrecio, que se habían convertido en su Biblia particular. Había renunciado a la búsqueda del amor romántico como centro de gravedad de la existencia. El furor erótico con el que Charlie le había abrumado la noche de luna llena le había resultado repelente. La idea de que la felicidad se alcanza mediante el encuentro azaroso con otra persona que viene a completarnos y a dar sentido a la existencia le parecía un delirio. Su primo debía experimentarlo igual que él lo había experimentado antes, pero ese romanticismo era en su opinión una enfermedad que se cura con el tiempo y, por suerte, tras muchos años de padecimientos, él había conseguido restablecerse por completo.

A diferencia de Charlie, quien hacía poco que había empezado a recibir los dardos envenenados de Cupido, él se encontraba en un estadio de la vida en el que podía prescindir perfectamente de ellos. Charlie, desde su total falta de experiencia, soñaba con fusionarse con el corazón de un amante de una forma total y arrebatadora. En cambio él, que había sido herido más de una vez por las flechas del amor, no sentía ya ningún interés por sus leyes insondables y fatales. Amar y ser amado no era ya una prioridad en su vida.

Llevaba ya tantos años conviviendo con la posibilidad de sucumbir a los estragos de la enfermedad que apenas le daba importancia. Sabía bien que el virus estaba ahí, latente, una especie de enemigo interior dispuesto a destruirle, pero no dejaba que ese pensamiento le aterrorizara ni dominara su vida. Vivía al día, preparado como un soldado para morir en acción en cualquier momento.

Tomaba tres veces al día una combinación de pastillas que eran su pócima mágica. Cuatro veces al año iba a la consulta del doctor Gonsalves, en el Upper West Side, donde, después de un amistoso intercambio de novedades sobre sus respectivas vidas, le hacían un sinfín de pruebas y análisis, cuyo resultado recibía al cabo de un par de semanas en un correo electrónico. Por suerte en los últimos años esos resultados habían sido siempre excelentes, así que, una vez recibida esa especie de absolución laica, vivía en paz por cuatro meses más.

Si alguna vez se veía azuzado por el deseo sexual, recurría a los chats de Internet y se hacía una paja mientras intercambiaba procacidades por escrito con algún empleado de banco del Bronx o un diseñador gráfico del Lower East Side. Rara vez daba el paso de aceptar una cita «real» y, si lo hacía, siempre era dentro de unos parámetros de anonimato estrictamente controlados.

Heriberto no tenía, pues, ningún interés en hacerle a Charlie de iniciador en los secretos del sexo. Sin duda muchos otros hombres se desvivirían por interpretar con Charlie ese papel, pero él siempre había preferido amantes más diestros. Esa predilección suya no se había desvanecido con la edad, y aun ahora, cuando chateaba en el ordenador, rechazaba las ofertas que vinieran de menores de treinta años, convencido de que la relación sería insatisfactoria. Era como un perro viejo que mira aburrido las cabriolas de un cachorrillo. Reconocía en el deseo de Charlie los acordes de una música que había amado en su momento pero que ya no despertaba en él ningún deseo de bailar.

Después del asalto de la noche de la luna llena, Heriberto había vuelto a su cuarto enfadado por no haber impedido aquella insensatez. La acometida le había pillado tan por sorpresa que no tuvo tiempo de reaccionar al sentir los dedos de Charlie manoseándole por dentro del pantalón de deporte. Se había quedado inmóvil mientras Charlie se ponía de rodillas, le bajaba el pantalón y le hacía una torpe felación. La polla, ya se sabe, tiene vida propia y respondió a aquellas maniobras con bien entrenado instinto, pero la mente se le había quedado en blanco. Antes de poder reaccionar, se iluminó el rincón opuesto del jardín. ¡Menos mal que ellos estaban en el rincón oscuro! Pues sólo hubiera faltado que su madre les pillara *in flagrante delicto*. Cuando quedaron de nuevo a la luz de la luna, Heriberto intentó poner fin a aquel indeseado ataque pero, al ir a zafarse de Charlie, le oyó exhalar un ahogado gemido y supo que había consumado la acción. Sus miradas se encontraron, Charlie esbozó una media sonrisa e intentó agarrarle la verga para reciprocarle la corrida, pero Heriberto se lo impidió apartándolo con determinación, instándole en un susurro a dejarlo estar.

De vuelta en su cuarto, fue instintivamente al ordenador, leyó el párrafo que había dejado interrumpido y retomó la escritura allá donde la había dejado, como si no hubiera sucedido nada. Continuó escribiendo durante una hora, tecleando de forma semiautomática, resuelto a olvidar lo que había sucedido e impedir que aquella interrupción afectara a su trabajo. Tecleó hasta sentirse exhausto y caer rendido en la cama. A sus años, le resultaba irónico haber sido seducido por un adolescente. El orden natural de las cosas era que el *erastés* sedujese al *erómenos*, nunca al revés. Heriberto se sintió poco menos que violado, *rajado*, como dirían en México.

Al día siguiente tenía que ir a Barcelona para entrevistarse con un escultor catalán ya entrado en años que en su juventud se decía que había sido seducido por Dalí. Heriberto esperaba sonsacarle alguna revelación exclusiva que añadiera a su libro un toque escandaloso.

Se vistió, metió un par de cosas en la bolsa de viaje, cogió el ordenador portátil y bajó a la cocina, pasando por delante de la puerta del cuarto de Charlie cautelosamente para no despertarle. Los adolescentes tienen cambios de humor muy bruscos, y Heriberto temía que le montara una escena.

En su momento, tendría que hablar con él, ser sutil para no herir sus sentimientos pero firme también para dejarle claro que aquel incidente no debía ir más allá. Consideró la conveniencia de confiarle a su madre lo que había pasado. Sería embarazoso, desde luego, pero ella era una mujer de mundo y sabría actuar de la forma más conveniente. ¡Oh, que tedioso era todo!

Pero tendría que esperar a su regreso de Barcelona. No podía permitir que el capricho de su primo interfiriese en su trabajo. Charlie tenía que entender que él no estaba de vacaciones, que tenía compromisos y fechas de entrega.

Una vez en la carretera, se relajó. Se sintió como un fugitivo que ha conseguido dar esquinazo temporalmente a la policía. Sintonizó una emisora de música clásica y condujo con pericia por la autopista semivacía escuchando un concierto para piano de Rachmaninov mientras adelantaba camiones, absorto en la conducción como dentro de un videojuego. Para cuando llegó a Barcelona, había conseguido relegar el incidente de la noche anterior a algún rincón del cerebro.

En la ciudad hacía un calor sofocante. Como ya era la temporada veraniega, las avenidas estaban vacías de tráfico y se encontró enseguida en el apartamento que le había cedido un amigo en pleno centro de lo que era casualmente el barrio gay de la ciudad, el *gaixample*.

Había pensado estar en Barcelona un par de días como mucho, suficiente para hacer sus investigaciones, tener su entrevista y regresar pronto al relativo frescor de la costa para ordenar el material y redactar un primer borrador. Sin embargo, las cosas se le complicaron.

La entrevista con el escultor catalán resultó superar sus expectativas más optimistas. El hombre parecía haber desbloqueado recuerdos que había guardado en su memoria largo tiempo y le confesó cosas que nunca antes había contado en público. Le describió detalladamente la extraña relación que unía a la extravagante pareja y admitió haber tenido él mismo una peculiar relación sexual con el pintor el verano que había visitado a los Dalí.

Heriberto estaba asombrado por esa repentina locuacidad. Las cosas no podían ir mejor. Muchos biógrafos y periodistas habían intentado en vano sonsacarle esos secretos, pero el escultor parecía haberle tomado confianza a Heriberto y le invitó a una nueva entrevista dos días más tarde. Fue entonces cuando Heriberto llamó a su madre para avisarle de que tenía que quedarse más tiempo del previsto.

Cuando volvieron a verse, aquel artista siguió contándole su estrambótica historia. Dalí le había hecho yacer desnudo en el jardín de la casa de Portlligat junto a una de sus esculturas pidiéndole que se masturbara mientras le filmaba con una cámara de Súper 8. La revelación incrementó la actividad de Heriberto aquella semana. Se propuso localizar aquellas filmaciones e intentar corroborar la historia con alguien que hubiese sido sometido a la misma «terapia» sexual. Además, quería hablar con algún psiquiatra para que le hiciese un análisis de la conducta *voyeur* de Dalí y con un experto en arte que le relacionase todo aquello con las alucinaciones masturbatorias que aparecen en la obra del pintor. La ayuda le vino de Madrid, de la mano de un profesor que se prestó a cooperar, ofreciéndose a interceder con la Fundación para que se le permitiera a Heriberto acceder a las filmaciones que se guardaban en el archivo de Púbol.

Así pues, Heriberto no estaba escondiéndose de Charlie. Simplemente había estado tan ocupado que no había tenido tiempo de pensar en aquel inoportuno asunto. Mientras Charlie sufría y magnificaba la importancia del episodio en la terraza, Heriberto poco menos que lo había olvidado por completo.

Era al hablar con su madre cuando Heriberto volvía a pensar en ello. Ella le recordó que Charlie no iba a estar mucho más tiempo en la costa y le insistió en que viniera a despedirse de él antes de su partida. Heriberto tuvo la impresión de que ella ya se barruntaba algo de lo sucedido y se preguntó si Charlie le habría confiado su encuentro en alguna de sus sobremesas.

Sea como sea, la admonición materna le hizo sentir un poco culpable por no haber contactado a Charlie en todos esos días y fue entonces cuando le dejó el mensaje en el móvil.

Después voló a Madrid para entrevistarse con su contacto y, al regresar, se olvidó de todo otra vez. Estaba exhausto pero muy excitado por la información que había ido recopilando. El experto le confirmó que los Súper 8 se guardaban en el archivo del castillo de Púbol. Dalí se los había entregado a Gala como regalo de aniversario.

Las cosas le estaban saliendo muy bien y Heriberto tenía prisa por ponerse a trabajar con todo aquel material, convencido de que su editor iba a estar encantado con los detalles escandalosos que harían destacar su libro del resto de la literatura sobre el tema, justificando la publicación de un nuevo volumen sobre el pintor y sus rarezas. En medio de toda esa actividad, la reunión con Charlie le resultaba un fastidio, pero fue a la cita con sentimiento de deber.

Capítulo 19

La espera

Al acercarse la hora de la cita con Heriberto, empezó a sentirse nervioso como lo había estado antes de sus exámenes de junio. Había sido agradable caminar a solas por la ciudad. Fue como estar ya de viaje, abierto a infinitas posibilidades. Aquel encuentro le intimidaba. Recapituló todo lo que había pensado decirle, su desesperación por no saber a qué atenerse y la humillante sensación de haber sido abandonado, pero no encontraba las palabras para articular esos sentimientos sin parecer ridículo. Temía quedarse paralizado al verse finalmente frente a él, incapaz de pronunciar una palabra. En cambio, estaba seguro de que a Heriberto no iban a faltarle, y que se manejaría con el impecable aplomo que había exhibido en la cena de la señora Sardá. Las palabras eran al fin y al cabo su profesión.

Se arrepentía de haber sido tan osado. Más le hubiera valido quedarse en casa de la tía Irene leyendo los libros que apenas había abierto. No tenía derecho a montarle a Heriberto una escena de esposa engañada. Si alguien se había engañado era él a sí mismo, creándose unas expectativas lejos de cualquier realidad objetiva.

Pero la realidad nunca es objetiva. Está compuesta también de sentimientos, intuiciones y vagos deseos y, aunque racionalmente Charlie podía comprender el patetismo ridículo de aquella obsesión suya por Heriberto, no podía negar el dolor de aquel sentimiento de traición y abandono.

«Quería decirte que...», «Tenía que verte antes de irme porque...». Mientras subía por las Ramblas ensayaba maneras de articular sus sentimientos, pero todo le sonaba horriblemente forzado. Se veía como Mimí al entrarle al trapo haciéndole aquellos disparatados reproches que a él le habían resbalado por una coraza de indiferencia.

El reloj avanzaba. Media hora. Se desesperó. Si ahora ya le resultaba difícil encontrar argumentos para reprocharle a Heriberto su evasión, ¿qué podía esperar cuando lo tuviese delante? Quizá un trago le ayudaría. No le convenía estar bebido, desde luego, pero un vodka con Red Bull seguro que le aportaría un poco de elocuencia.

Salió de las Ramblas y sus horribles estatuas vivientes. Pasó de largo el Café Zúrich y giró por Pelayo. Al cruzar por el portal de su casa le asaltó una sensación de desamparo.

Imaginó a la familia de usurpadores alemanes disfrutando de su terraza, escuchando el clamor vespertino de los vencejos de la plaza Cataluña. Imaginó también a su madre flirteando con algún atractivo profesor en Heidelberg, retomando con alegría la vida propia que había dejado aparcada durante los dieciocho años de forzosa maternidad responsable.

Ahuyentó rápidamente esos sentimientos negativos. No era la actitud más adecuada antes de hacer frente a Heriberto. Tenía que poner fin a esos arrebatos de melancolía. Tenía que dejar de vivir a través de ficciones literarias. Con dieciocho años era ya el momento de empezar a vivir la realidad del presente. Tenía una cita con un hombre con quien había tenido una relación sexual, por muy mal resuelta que esta hubiera quedado. Esto era ya la vida de adulto. No era momento de entretenerse en sentimientos autocompasivos ni podía seguir buscando refugio en las faldas de su madre. Al llegar a la plaza Universidad la solidez de aquel edificio le devolvió un poco el ánimo. Pasase lo que pasase aquella noche, el futuro estaba aguardándole y ni una docena de Heribertos podría arrebatárselo.

Pero al dar las ocho el reloj de la Universidad, la confianza en sí mismo se le resquebrajó. Apenas media hora y todavía estaba sin saber si peinarse para adelante o para atrás, como quien dice. Cruzó la plaza sintiéndose como un condenado a muerte

El cine de la calle Aribau le trajo a la memoria una tarde en que Albert le había pasado el brazo por la espalda durante una escena escalofriante de un filme de terror hollywoodiense. Había sido una reacción espontánea a la que seguramente no había que atribuir mayor importancia.

Sin embargo, la escena formaba parte de una media docena de otras impresiones que, por alguna razón, se le habían quedado indeleblemente grabadas en la memoria. Estaba convencido de que el recuerdo de aquel abrazo iba a acompañarle toda la vida. Recreó perfectamente la electricidad que le produjo el roce del brazo de su amigo. Durante ese breve espacio de tiempo, Charlie se había quedado petrificado en el asiento, asustado por la erección que había experimentado. Cuando pasó la escena de horror, Albert retiró el brazo y Charlie sintió que la sangre le volvía a fluir. Al salir del cine comentaron la película sin mencionar aquel espontáneo contacto físico, el único que había tenido con Albert a lo largo de su amistad, pues nunca habían explorado juntos la sexualidad, como se supone que hacen los chicos a su edad, ni Charlie le había hecho confidencias sobre sus urgencias sexuales. Comprendía ahora que aquel abrazo había sido la primera intuición de su homosexualidad y el principio del bloqueo que se había impuesto de forma inconsciente. Se preguntó si Albert habría encontrado rara aquella frialdad sexual suya y si ahora, a la luz de las revelaciones que acababa de hacerle, lo interpretaría todo de otra manera.

Pero esa no era la manera en la que Albert funcionaba. Tenía por seguro que Albert no se torturaba con pensamientos complicados. Albert era un tipo espontáneo. Si estaba caliente, se hacía un pajote, y si le gustaba alguna tía, se acercaba a ella y santa pascuas. Tenía el físico y el aplomo para no complicarse con divagaciones y era lo suficientemente narcisista como para no pensar más allá de sí mismo.

Pasó de largo el portal de Albert, resolviendo que no le llamaría aquella noche. A Albert no iban a interesarle mucho sus enredos con Heriberto. Definitivamente, sus intereses divergían y ¡a saber cómo iba a volver Sabir de sus vacaciones en Tetuán! Con los tiempos que corrían, Charlie podía imaginarle luciendo chilaba y barba de chivo. Cada uno había cruzado una línea invisible y a partir de ahora iban a separarse lentamente, como icebergs flotando en el océano llevados por corrientes contrarias.

Llegó al restaurante donde Heriberto le había citado. El lugar donde su destino iba a decidirse, pensó con su característico sentido melodramático, que no estaba exento de cierta ironía. Charlie recordó haber visto el logo en una de las revistas gays que había hojeado en su frustrante noche de búsqueda el día antes de partir hacia casa de la tía Irene. Se había preguntado por qué se necesitaba un restaurante gay. ¿Acaso existía discriminación en los otros establecimientos?

Enfrente había una bodega tradicional. Cruzó la calle y entró allí. Era un buen lugar desde el que vigilar la entrada de Heriberto en el restaurante mientras bebía la copa que le ayudaría a relajarse. No quería ser el primero en llegar a la cita.

En contraste con la estética minimalista del restaurante, el bar era un lugar sólidamente a la antigua, con mesas de formica y botellas polvorientas de marcas desconocidas detrás de la barra. El viejo que servía copas ni siquiera sabía qué era el Red bull, y tuvo que tomarse el vodka con tónica. Se sentó en un taburete en la barra, dividiendo su atención entre el grupo de hombres que jugaba al dominó en una mesa y el trasiego vespertino al otro lado del cristal. Estar en bares parecía ser su actividad favorita esos días. Eso y caminar sin rumbo por las calles. Es lo que hacen los adolescentes que, como él, no tienen realidades y se ven forzados a pasarse las horas muertas soñando en una estéril duermevela. No podía imaginar a Heriberto perdiendo el tiempo tan a lo tonto. Seguro que siempre tendría algo mejor que hacer que elucubrar sobre la melancolía del destino contemplando su propia impotencia.

El aburrimiento era la característica principal que definía la tierra de nadie de la adolescencia. Muchas veces había leído en revistas que el mundo moderno estaba hecho a la medida de los adolescentes. Se suponía que los bares, las modas, la música y los centros comerciales estaban diseñados para atraerles a ellos, que habían sustituido a los adultos como motor económico de la sociedad, arrastrando con su sed de novedades la maquinaria de un mundo construido a imagen y semejanza de sus deseos.

Pero eso no se correspondía en absoluto con su experiencia. Eran los adultos tal vez los que habían ido comiéndoles el terreno a ellos, aspirando a convertirse en perpetuos adolescentes. Desde sus dieciocho años recién cumplidos, él podía dar fe de que la famosa adolescencia era una exasperante sucesión de anhelos inalcanzables. La falta de libertad y de recursos económicos o, lo que era aún peor, la falta de recursos emocionales, se interponía entre ellos y la consecución de la felicidad. Estaba seguro de que incluso para Albert las cosas eran así. A pesar de su fanfarronería y su bravura sexual, Albert tenía que pedirle prestado dinero y visitar a su amante londinense de tapadillo. No era precisamente un comportamiento digno de Humphrey Bogart. También para Albert los días serían tediosos. Como aquella noche de su despedida, fumando porros frente al televisor mientras afuera se oían voces invitándoles a no sabían qué inciertos placeres.

Más que una vida, lo que a esa edad se tenía era una pose. Había una gran diferencia entre ambas cosas. La vida era lo que tenía Heriberto, algo que sólo se alcanzaba con la edad, algo que producía el dolor y el sufrimiento que había descrito en su diario. La pose era un pobre sucedáneo de ello. Uno se reunía con amigos en bares y pasaba las horas bebiendo, fumando porros, bailando en discotecas o simplemente esperando en una plaza. Esperando, siempre esperando. Dando vueltas en círculos, consumiendo drogas y adoptando modas. Se identificaban con unos ídolos que les ayudaran a crearse lo que pasaba por una personalidad, pero que no era más que una serie de opciones de consumo, bien empaquetadas por algún ejecutivo de marketing que les encasillaba dentro de un «estilo».

La auténtica vida estaba para Charlie en el diario de Heriberto, tan lleno de experiencias intensas: la muerte, el sexo, el amor, el dolor, la decepción y una vida al límite de los abismos de la existencia.

Esperaba con impaciencia el momento de escapar de la prisión en la que ahora se hallaba, incapaz de avanzar o retroceder, estático, como un jarrón chino en un museo. Quieto incluso cuando estaba caminando por la ciudad. Moviéndose en círculos concéntricos alrededor de su deseo de experiencias.

Recordó al profesor Vilaseca, quien había descrito el movimiento circular de una sonda espacial alrededor de Saturno para conseguir el ímpetu necesario para lanzarse al espacio exterior. Así se encontraba él. Una sonda dando vueltas a un planeta, esperando reunir el impulso suficiente para empezar el auténtico viaje. Eso era todo lo que ese verano iba a ser en su vida, el verano de las vueltas alrededor. El verano de la espera. Heriberto era ese planeta a cuyo alrededor gravitaba antes de lanzarse al espacio.

Estaba oscureciendo. Al otro lado de la calle alguien se paró a leer el menú del restaurante en la vitrina de la entrada. El móvil le hizo el familiar pitido anunciando la entrada de un mensaje. Albert quería saber sus planes. Si todo iba bien, le mandaría un mensaje para decirle que no iría a su casa esa noche. Si las cosas fracasaban, entonces ya vería.

Pasaban ya de las ocho y media y empezaba a mirar con ansiedad buscando la figura de Heriberto. Sonó de nuevo el pitido del móvil y Charlie dio un respingo temiendo una cancelación de último momento, pero esta vez era Mimí, que preguntaba dónde estaba. Para que no se alarmase y le montase una búsqueda, pues después de la escena del otro día se esperaba de ella lo más disparatado, le mandó un mensaje. Luego desconectó el teléfono para no tener interrupciones. No quería hablar con nadie antes de su entrevista con Heriberto.

Decidió que regresaría esa noche a la costa. Había un tren a medianoche desde Paseo de Gracia. Lo tomaría y luego un taxi a casa de la tía Irene, donde podría reflexionar a solas sobre el resultado de aquella entrevista.

A través del cristal, vio por fin a Heriberto. Iba con otro hombre, lo que le hizo sentir pánico. Era una eventualidad que no había contemplado. «¿Significaba eso que no iban a poder sincerarse?» Se enfureció pensando que Heriberto pudiera ser tan cobarde que no quisiera enfrentarse con él a solas.

Pero, tras una breve charla, los dos hombres se despidieron y Heriberto entró solo en el restaurante. Su acompañante paró un taxi. Antes de subirse en él, Charlie tuvo el tiempo justo de ver que era Hans, el holandés.

Capítulo 20

Una franca conversación

El *maître* le recibió con una sonrisa tan forzada que parecía más bien un espasmo. Era un mulato joven de aspecto saludable. Brasileño, pensó Charlie, o cubano tal vez. Tenía el pelo impecablemente cortado y la ropa bien planchada. Charlie barrió el local con la vista hasta dar con Heriberto en una mesa del fondo, el cual estaba escribiendo en un bloc con gran concentración.

Durante sus días de inquietud en la costa, los rasgos de Heriberto se le habían desdibujado, formando una combinación de las distintas ideas que se había hecho de él a medida que leía su diario. Al reencontrarlo ahora en persona, le pareció aún más atractivo de lo que recordaba. Llevaba el pelo mojado o tal vez se había puesto gomina, lo que le acentuaba su aspecto de artista de cine de los años cincuenta. Vestía el mismo polo blanco que llevaba el día en que se conocieron y, sentado en medio de la decoración blanca del restaurante, su piel bronceada le hacía parecer tan moreno como el camarero mulato.

—He quedado aquí con alguien —le dijo Charlie, indicando con la cabeza hacia donde estaba Heriberto, quien continuaba escribiendo sin haberse dado cuenta de su llegada.

El *maître* volvió a hacer aquella mueca que pasaba por sonrisa, invitándole a seguirle.

Charlié avanzó por el pasillo central sintiéndose como una modelo que desfila por una pasarela, aunque aparte de Heriberto sólo otra pareja ocupaba una de las mesas. Advirtió la pulcritud de los manteles blancos y las servilletas, el brillo de la cubertería, y reparó en los cuadros abstractos en tonos violeta y ocre que decoraban las paredes. Supo que aquella escena se le iba a quedar fija en la mente por mucho tiempo, como el abrazo de Albert en el cine Aribau.

Miró de reojo a los dos hombres sentados en un rincón. Ellos sí que se habían dado cuenta de su entrada y le miraban por encima de la carta descomunal que sostenían en las manos. Eran dos señores mayores un poco regordetes. Charlie notó en sus miradas un destello pícaro de aprobación que, de alguna manera, vino a darle coraje. Heriberto en cambio ni se había percatado de su entrada y seguía absorto en sus notas.

Por un instante quiso darse la vuelta y salir de nuevo a la libertad de la calle. Absurdamente, consideró sentarse en la mesa de aquellos dos hombres y dejar a Heriberto escribiendo a solas en su rincón. Seguro que les haría la mar de felices si lo hiciera y desde luego que él disfrutaría mucho más de su compañía que con lo que se le avecinaba. Presintiendo su llegada, Heriberto levantó la vista del bloc y sus ojos se encontraron.

—Hola —le saludó Heriberto.

Cuando se besaron en las mejillas, el olor de la colonia que usaba su primo le trajo a Charlie el recuerdo de la habitación del ático.

Charlie lamentó tener que sentarse de cara a Heriberto y de espaldas a la pareja de turistas. Hubiera preferido ser él quien estuviera contra la pared para buscar la complicidad de sus miradas cuando la conversación se pusiera difícil. Tal como estaba situado, su mirada no podía esquivar la de Heriberto, recortado sobre el fondo lila de uno de los cuadros abstractos.

—Bueno, pues —dijo Heriberto—. Aquí estás ya apurándote antes de partir de viaje, ¿no?

Charlie asintió.

—No sabes qué envidia me das. Me gustaría ser yo quien se fuese a hacer ese *Grand Tour*.

No le convenció la sinceridad de ese comentario. Seguro que antes se cortaría la mano derecha que intercambiarse con él, pero Charlie le siguió la corriente porque esa conversación permitía un terreno inofensivo antes de entrar en el «tema» de la cita.

—Tengo ilusión, sí.

—Irás con mucho cuidado, ¿verdad?

—Lo tendré, por supuesto —respondió sonriendo, aunque un poco molesto por el tono condescendiente.

Heriberto captó su irritación.

—Sé que lo tendrás —dijo devolviéndole la sonrisa—. Y bien, ¿cuál va a ser el primer puerto? ¿París?

—No, voy a empezar por Marsella, siempre me ha atraído esa ciudad. No sabría decir por qué.

Charlie recordó los versos de un caligrama de Salvat-Papasseit que había estudiado en la escuela:

> *Marseille port d'amour*
> *Notre Dame de la Garde, priez pour nous*

Heriberto enarcó las cejas. Charlie creyó haber conseguido sorprenderle con su elección de ciudad y tuvo una agradable sensación de triunfo.

—Sí, me atrae Marsella —continuó—. Me imagino bajando del tren y encontrándome en medio de una novela de Jean Genet, como el capitán del barco de Querelle en la película de Fassbinder.

Heriberto le miró alarmado.

—Marsella puede ser una ciudad peligrosa. Tendrás que ir con cuidado —repitió.

—Descuida —dijo Charlie, esbozando una sonrisa de satisfacción por haberle impresionado.

—Claro que es bastante parecida a Barcelona —añadió Heriberto.

Charlie se encogió de hombros.

—Eso me han dicho, pero no me importa. Mi idea es empezar por el Mediterráneo y poco a poco ir alejándome hasta llegar al norte. ¿Tú conoces Marsella?

—Estuve una vez hace mucho tiempo, seguramente antes de que tú nacieras.

Charlie frunció el ceño ante ese innecesario recordatorio de la diferencia de edad entre ellos.

—¿Te gustó?

—Pues no mucho, la verdad. Era muy decadente y sucia, pero si te va ese tipo de estética... aunque habrá cambiado mucho desde entonces.

Se quedó pensativo, recordando quizás aquella visita.

—¿Y después de Marsella? —preguntó finalmente.

—Italia. Génova, Florencia, Roma, Nápoles... y de ahí a Venecia, Trieste y Zúrich... Luego a Alemania, donde voy a encontrarme con mi madre en Heidelberg. Zúrich es un sitio que también me apetece mucho, así por nada en especial.

Pero sí sabía por qué. Había leído en una biografía de James Joyce que el escritor irlandés vivió en esa ciudad, pero no se lo dijo a Heriberto porque no quería darle la impresión de estar encandilado por las estrellas literarias. Se había apuntado un buen tanto con Jean Genet, pero mencionar también a Joyce, a quien Charlie idolatraba con el fervor que otros adolescentes guardan para los cantantes pop, le parecía que podía resultar pedante.

—¿Y al final París? —preguntó Heriberto, que parecía un poco perdido en sus propios pensamientos y conducía la conversación con el piloto automático.

—Sí, París lo guardo para el final.

—Tendrás que vigilar los gastos. ¡Cuida que no te quedes sin dinero en las dos primeras semanas!

Charlie volvió a fruncir el ceño por ese paternalismo de Heriberto.

—Mejor que no. Este viaje es como lo de Núñez de Balboa, una auténtica aventura. Mi madre tiene el apartamento cedido hasta septiembre, así que, una vez en movimiento, ya no podré dar marcha atrás. Estoy condenado a seguir adelante hasta septiembre, pase lo que pase.

—Todo un viaje iniciático —sonrió Heriberto—, pero no exageres. Si pasa cualquier cosa, siempre puedes refugiarte en casa de mi madre. Te adora. Yo estoy un poco celoso.

Charlie percibió otra vez aquel molesto tono de condescendencia que tanto le irritaba.

—Gracias —dijo secamente—, espero que no haga falta.

—Lo que me parece es que quieres abarcar mucho en un solo mes.

—Bueno, en realidad es un mes y medio.

—Lo malo de este tipo de viaje es que no se profundiza mucho. Uno se queda con una imagen muy superficial de cada lugar y, si conoces a alguien, no tienes tiempo de desarrollar la amistad. Además, te deja agotado tanto ir de acá para allá, pendiente todo el tiempo de horarios de trenes, búsquedas de hotel y tal.

Charlie pensó que ese ajetreo de trenes y hoteles era precisamente lo que más le atraía a él.

—La idea es hacerme una primera impresión general de Europa. Ya habrá tiempo en el futuro para volver adonde me parezca más interesante.

—Sí, claro. Tú tienes mucho tiempo —dijo Heriberto, lo que a Charlie le pareció genuina melancolía.

—Y tú, ¿qué has estado haciendo estos días? —cortó Charlie, cansado de hablar de su viaje e intentando acercar la conversación hacia el «tema».

—Trabajo. Tuve que ir a Madrid de pronto... En fin, que las cosas se complicaron. Pensé que en un par de días estaría de vuelta pero, ya ves, aquí me tienes todavía.

El camarero vino por fin a tomarles nota, interrumpiendo aquel torrente de excusas. Charlie se alegró de que el «tema» quedara suspendido por el momento. Mejor esperar a que terminaran los primeros platos, porque uno siempre se pone belicoso con el estómago vacío.

Los dos miraron la carta unos segundos. Heriberto pidió sin pensarlo mucho una sopa fría —vichyssoise tailandesa, se llamaba— y un pastel de marisco. Charlie lo mismo. No había tenido tiempo de decidir ni sabía qué eran la mitad de las cosas que se ofrecían en una carta llena de los platos de «cocina fusión», que tan en boga estaba entonces. Pidieron también una botella de vino blanco.

Cuando el camarero les dejó, se quedaron momentáneamente en silencio. Charlie miró el cuaderno en el que Heriberto había estado concentrado antes de su llegada. Se preguntó qué es lo que anotaría allí. ¿Algo sobre Hans? ¿Sobre él? ¡Lo que daría él por leerlo!

Claro que lo más seguro es que fuesen notas sobre su libro.

—¿Fue idea tuya escribir sobre Dalí —le preguntó, llevando la conversación de nuevo a aguas poco profundas—, o te lo encargó el editor?

—Un poco las dos cosas. A mí siempre me fascinó Dalí, no sólo la pintura, su personalidad también, pero tengo una razón más mercenaria. En febrero se abre una gran exposición en Washington y mi editor sugirió que era una buena ocasión para investigar algún aspecto de la vida de Dalí que no se conozca mucho. Por eso tengo prisa por completarlo este otoño.

—Parece una buena idea. ¿Y has descubierto algo nuevo?

—Muchas cosas. Precisamente acabo de entrevistar a un personaje que me ha contado historias curiosísimas.

—¿Cómo por ejemplo?

—Que a Dalí le gustaba ver cómo se masturbaban chicos jóvenes. Los filmaba y luego se masturbaba a solas viendo esas filmaciones en la intimidad de su casa.

—Parece una sexualidad un poco triste, ¿no?

—Según cómo lo mires. La sexualidad de cada uno es siempre diferente. No hay que juzgar —dijo Heriberto desdeñoso—. Todos nos hemos hecho pajas con las imágenes más estrambóticas.

Charlie se dio cuenta de que había dicho una tontería, y sintió que le subían los colores a la cara.

El camarero les trajo el vino y sirvió un dedo en la copa de Heriberto. Se la llevó a los labios y, sin apenas probarlo, dio el visto bueno con un ligero asentimiento. Cuando estuvieron llenas las dos copas, Heriberto levantó la suya.

—Por tu viaje.

—Por tu libro —correspondió Charlie—. Que tenga mucho éxito.

Tras el brindis, se quedaron otra vez en silencio. Charlie temió que Heriberto se ensimismara igual que en la noche de la fiesta y que le tocara a él llevar la conversación. Sintió de nuevo el terror del vacío, de no saber qué decir.

Por suerte, tal como había anticipado, Heriberto no permitió que eso sucediera.

—Y tú dices que no quieres dedicarte a escribir, ¿no?

—La verdad es que no. Creo que soy más lector que escritor.

—¿Nunca has escrito nada? ¿Ni un diario personal?

—Bueno, sí, pero no... No es que quiera yo ponerme a escribir. Ni se me ha ocurrido —mintió Charlie bebiendo un sorbo de vino.

—Y entonces, ¿eso de estudiar literatura?

Charlie se encogió de hombros. Recordó que ya habían hablado de eso antes y le molestó tener que repetirse. Intentó encontrar palabras para describirle lo que había sentido leyendo el diario aquel día en la playa. Intentó evocar las palabras de la Rosselló sobre la literatura, pero no quería parecer pedante.

El camarero les trajo entonces el primer plato. Charlie observó a Heriberto sorber elegantemente las cucharadas de su vichyssoise tailandesa. El pelo canoso le daba un aspecto de patricio mexicano de las letras. Charlie lo comparó con Octavio Paz, Carlos Fuentes y Mario Vargas Llosa, escritores recios, importantes, y a su lado se sintió estúpido. Pensó que él jamás conseguiría alcanzar esa enjundia intelectual. Se sintió como un niñato. Para recuperar el ánimo, dio otro sorbo de vino, fijándose en que él ya se había casi terminado la copa mientras que Heriberto tenía la suya todavía llena.

El vino le hizo el efecto deseado. Se sintió un poco más relajado, alegre casi. Presintió las miradas de los dos hombres a su espalda. Le vino entonces un cierto humor coqueto. Habló del poder de la literatura para evocar el pasado y tal y cual, mientras Heriberto le escuchaba en silencio. Charlie se irritó al darse cuenta de que había terminado otra vez hablando de sí mismo. ¿Cómo habían vuelto a hablar de él? No quiso seguir. Su vida no tenía ningún interés.

Heriberto le hacía esas preguntas simplemente para dar conversación, evitando entrar en el verdadero asunto que les había traído a ese restaurante.

—Es todo muy intuitivo —dijo concluyendo—. Me gusta la literatura porque mi vida actual no tiene ningún interés. Es aburrida. Leyendo novelas vivo otros mundos más atractivos, no sé, es como viajar por Europa pero mejor, porque puedo conocer otras mentes. Otros tiempos, incluso. ¡Es fascinante! A través de la poesía, por ejemplo... cuando leo un poema que me gusta tengo la impresión de que conozco a esa persona, de que el poeta se convierte en mi amigo, un amigo más real que los amigos supuestamente «reales». ¿Me entiendes? «*mon semblable, mon frère*», que decía Baudelaire... La literatura me aleja del aburrimiento de mi vida en Barcelona.

Miró a Heriberto buscando adivinar lo que pensaba de ese discurso inconexo.

—Creía que eras feliz —dijo.

—Sí, lo soy. Inmensamente feliz. Mi madre es genial y he tenido una vida estupenda, pero es que... no sé, necesito otros alicientes.

—Ya, lo que necesitas tú, como todos los jóvenes, es vivir y crecer un poco.

Charlie se exasperó. Ya estaba otra vez ese paternalismo. Pensó que Heriberto se negaba a considerarle seriamente y le trataba como a un imbécil. No obstante, tenía que admitir que eso era efectivamente lo que necesitaba, adquirir experiencia.

—Bueno, sí, supongo que es eso. La verdad es que estoy un poco harto de leer tanto. Tengo ganas de vivir ya las cosas en mi propia piel, no de esta manera tan... —se quedó buscando una palabra que no le llegaba—. Tan a través de los otros —añadió por fin.

—¿Puedo hacerte una pregunta?

Charlie se tensó. Miró a Heriberto asintiendo levemente. «El tema», pensó, aquí viene.

—Ajá, ¿qué quieres saber?

—¿Nunca echaste de menos la figura paterna? Ya sabes. Criado con una mujer sola, me pregunto si eso es por lo que te crees que eres homosexual.

Charlie rió.

—¡No me vengas tú también ahora con lo de la famosa fase que pasan los adolescentes!

—No es mi intención sermonear, pero la «famosa fase» es algo bien real, ¿no crees? Hay que tenerlo en cuenta, especialmente en un caso como el tuyo, que te has criado sin padre. Entra dentro de lo posible desarrollar una homosexualidad que en realidad sea una búsqueda de esa figura ausente. —Heriberto le miró serio.

Charlie se rebeló contra la palabra «caso».

—No tendría nada de particular —continuó Heriberto—, sobre todo si el deseo se proyecta no hacia los compañeros de edad, sino hacia los hombres mayores...

—No, Heriberto —le cortó Charlie—. Yo soy homosexual porque me atraen sexualmente los hombres.

—Ya. Muy bien. Ningún problema con eso, pero es que yo me pregunté después de lo que pasó la otra noche si la razón por la que quisiste tener relaciones sexuales conmigo era la misma por la que un adolescente se enamora de su profesor de gimnasia o de historia. No por sí mismo, sino por lo que esa persona representa para el chico —o para la chica, que lo mismo da— el deseo de lo que quieren ser, lo que no tienen.

Charlie sintió que la furia le subía hasta la raíz del pelo. Dio un trago largo de vino para ganar tiempo.

—Bueno, me alegro de que te preguntaras por lo que pasó aquella noche —respondió, tras reunir fuerzas para contestar a aquella diatriba psicológica de su primo—. Estaba convencido de que habías decidido ignorarlo por completo.

—Sí, ya sé que me porté muy mal contigo desapareciendo sin más. Tienes todo el derecho del mundo a reprochármelo.

Charlie le miró a los ojos, calibrando la sinceridad de sus palabras. No respondió.

—Te pido disculpas —continuó Heriberto. Debería haber hablado antes, pero ya ves que estuve ocupado.

—No te preocupes por mí —dijo Charlie intentando mantenerse digno—. Tampoco estuve sentado en casa contemplando abrirme las venas.

Heriberto le miró sonriendo.

—No, claro. Seguro que tú también habrás estado bastante ocupado con los nuevos amigos allá arriba, ¿no?

—¿Nuevos amigos?

Charlie pensó en Hans, a quien acababa de ver con Heriberto. ¿Acaso él le habría contado algo?

—Mimí, por ejemplo.

Charlie no comprendió por qué sacó a relucir a Mimí. Ahora era Heriberto el que llevaba la conversación hacia aguas menos profundas, adonde los dos pudieran hacer pie.

—Sí, vi a Mimí varias veces. Se ha encaprichado conmigo.

Heriberto sonrió.

—¿Encaprichado? ¿Ha intentado seducirte?

—¿Seducirme? Yo diría que ha intentado casi violarme. Se me ha echado encima un par de veces y no acepta un no por respuesta.

Heriberto le miró divertido. Charlie se sintió a la vez aliviado y enfadado por la forma en la que Heriberto había desviado «el tema». Pensó cómo podía volver a él, pero no se le ocurrió nada.

—Es una chica graciosa, ¿no crees? Inteligente también. No puedes negar que es buena compañía —añadió Heriberto.

—Sí, lo es pero... —Charlie buscó mentalmente la palabra adecuada para describir la sensación de opresión que le causaba Mimí—. Demasiado *intensa* —dijo finalmente.

—Sí, creo que esa palabra desde luego la define perfectamente —rió Heriberto.

—Incluso después de decirle que yo era gay, insistió en echárseme encima.

—Ya. No te lo tomes a mal. Le daría morbo. He conocido muchas mujeres que son así. Mimí coquetea con todo el mundo, ya te habrás dado cuenta. Es su carácter.

—¿Contigo también?

—Con todos. Conmigo también.

Charlie sonrió y luego se quedó pensativo. ¿Por qué estaban hablando de Mimí?

—Tendrías que oír lo que dice de ti —dijo.

—Ajá, ¿qué es lo que dice de mí?

—Que eres un *gerontófilo*, que sólo te gustan los hombres mayores y que yo no tengo nada que hacer contigo. Lo mismo que dices tú de mí, ¿no? ¡Qué gracia!

Heriberto soltó una carcajada.

—Así que hablaron ustedes de mí.

—Un poco. El otro día fuimos a una fiesta en casa de tu amigo, el dueño del chiringuito de la nudista.

—¡Ajá!, una de las famosas fiestas. Seguro que lo pasaron en grande.

—Sí, muy bien. Yo al menos. ¿Has estado tú en alguna?

—No, nunca. Yo soy un poco viejo cascarrabias. El trabajo no me permite salir de fiesta, suponiendo que tuviera ganas, que la verdad a mi edad ya no...

—Pero no eres más viejo que Txiki, y él bien que se divierte en sus fiestas.

—Sí, Txiki es un viva la virgen. Es su carácter, pero, yo sí que soy más viejo que él. Le llevo algunos años y eso marca una gran diferencia. Él todavía persigue el sueño de la juventud.

—¿Y tú no?

—No. Yo ya me bajé de ese barco.

—¿Y qué es el sueño de la juventud?

—Bueno, ya sabes, buscar el amor puro, el alma gemela... toda esa vaina.

—No es exactamente la idea que yo tengo de Txiki. De todas formas, la gente mayor también se enamora, ¿no?

—De otra manera.

—Pero la edad no impide seguir buscando la felicidad.

—¡Ah, la felicidad! ¿Qué diablos es eso? Cada vez que oigo la palabra *felicidad* me saco la pistola del cinto.

—¡Qué extraño eres! Yo en cambio vendería mi alma al diablo por...

No supo cómo acabar la frase, pero lo dijo con tanta convicción que Heriberto puso una de esas sonrisas condescendientes que tanto molestaban a Charlie. Tuvo la certeza de que Heriberto le tomaba por un ser absurdo, movido por sentimientos de segunda mano, incapaz de expresarse con claridad.

—Lo malo es que a mí ya no hay diablo que quiera comprarme el alma —dijo Heriberto.

—¿Sabes lo que pienso?

—¿Qué piensas?

—Que alguien debe de haberte hecho sufrir mucho en tu vida y que ahora tienes miedo de que te hagan sufrir otra vez.

Charlie fue consciente de estar recitando casi palabra por palabra algo que había leído en el diario de Heriberto. Se preguntó si el primo reconocía sus propias palabras devueltas de aquella manera tan entusiasta.

—Me imagino que tú me encontrarás completamente frívolo —continuó Charlie—, un poco patético, ¿no? Pero a mí me gustaría poder ayudarte a poner fin a ese cinismo y me gustaría ocuparme de ti. Siento que tengo mucho que aprender de ti. Quiero saber cosas, ser iniciado en todos tus secretos. Sería un gran honor para mí convertirme en tu discípulo, hundir la nariz en tus libros y tus diarios...

—¿Mis diarios? —preguntó Heriberto, un poco alarmado por aquel ofrecimiento.

Charlie miró el cuaderno que había encima de la mesa.

—Podría ser tu secretario particular. Pasaría a máquina tus notas, me encargaría de ti. Cuidaría de ti.

Heriberto le miró con incredulidad.

—Eso está muy bien, Charlie, pero no puedes imponerme así tu voluntad.

—¿Es que no te gusto?

Heriberto hizo un chasquido con la lengua.

—No es eso, Charlie, no es eso.

—Te vas a reír de mí —dijo Charlie—, pero el día de la cena en casa de la señora Sardá yo te admiré. Admiré tu forma de hablar, con tanto dominio sobre arte, sobre filosofía y todas esas cosas interesantes.

Heriberto puso cara de asombro, como si aquel discurso le resultase penoso.

Recordaba que aquella noche había puesto el piloto automático, adoptando una pose de «estar en sociedad», limitándose a hacer los comentarios más o menos triviales que se esperaba en una cena como aquella mientras por dentro había sentido una total indiferencia. Había expresado opiniones vagas, ocultando tras ellas la apatía que le provocaba la conversación con aquella vieja trucha. Sólo a un cachorrillo como Charlie podían pasarle por verdadero conocimiento aquellas trivialidades de salón.

—Esto que me dices es verdaderamente muy halagador, pero yo no busco compañía. Al contrario, necesito soledad, por eso no quiero ese apoyo que tú tan generosamente me ofreces. Aunque de verdad que lo aprecio —dijo conciliador.

—Me pareces muy extraño, Heriberto.

—A medida que nos hacemos mayores nos encerramos en nuestras propias idiosincrasias. Yo creo que tú debes buscar gente de tu edad y no ir detrás de un viejo baqueteado como yo.

Charlie bajó la vista. No sabía qué más decir. Había hecho esos comentarios de corrido, animado por la falsa elocuencia del vino, y de pronto se sintió perdido, sin saber cómo continuar. Dio otro trago. Heriberto le tomó la mano, mientras con un gesto encargaba al camarero otra botella de vino.

—Charlie, no me malinterpretes. De verdad que me halagas muchísimo, pero créeme: yo no tengo nada que ofrecerte.

Se miraron. Charlie tenía mucho más que decirle a Heriberto, pero las palabras se negaron a acudir.

El camarero trajo la botella de vino y les llenó las copas. Al poco volvió con el segundo plato.

Charlie observó en silencio al camarero y también a Heriberto. Entonces se acordó de Hans.

—Ya te dije que conocí en la fiesta de Txiki a tu amigo holandés. Ahí tienes a otro hombre *de tu edad*, que tampoco hace ascos a la vida —dijo Charlie retomando de nuevo el hilo de la conversación.

A pesar de que acababa de despedirse de él en la puerta del restaurante, Heriberto no hizo ningún comentario. Miró al camarero servir los platos con rostro impasible.

—¿Hans? —dijo por fin—. No es alguien que se pierda una fiesta tampoco, Hans.

—¿Lo ves?

—Sí, él tiene algunos años más que yo, pero está bien conservado el muy chingón, ¿verdad? Seguro que estuvo flirteando contigo toda la noche.

—Un poco, sí —contestó Charlie, regocijándose en la curiosidad de Heriberto.

—¿Y qué te pareció?

—Muy simpático. Muy atractivo. Estuvo muy atento conmigo.

—No lo dudo. A Hans le gustan los «bollicaos», como dicen ustedes por aquí.

Charlie pensó que, a pesar de su pretendida impasibilidad, Heriberto se había puesto un poco en guardia por la mención de Hans.

—Y a ti te gustan los «osos», como dice Mimí.

—Eso dice, ¿eh?

—También lo dice Beni, el camarero del chiringuito. Ya ves. Esa es la impresión que das.

—Me pregunto por qué —dijo Heriberto, burlón.

Luego se puso serio.

—Charlie, eres un chico muy atractivo. No me extraña que tengas admiradores, especialmente entre los hombres de mi edad, pero...

—Pero no suficientemente atractivo para ti, ¿no? —completó la frase Charlie.

Heriberto sonrió. Agitó la cabeza como no dando crédito a la insistencia de Charlie.

—Tú lo que estás buscando es que te dé una cucharadita de miel, ¿verdad? Eso es lo que te pasa. Yo no te di ninguna desde que llegaste a casa de mi madre y, claro, tú no puedes aceptar que un pobre viejo como yo no pierda el culo por ti. Pobrecito. ¡Cuánto debes de haber sufrido! Sí que te encuentro muy atractivo, pero no eres, cómo decirlo, mi tipo. Además, tú no sabes nada de mí.

—¿Y cuál es tu tipo?

—Oh, cualquiera.

—Menos yo, evidentemente.

Heriberto le miró gravemente.

—Por favor, no me fuerces a decir cosas que no pienso. Ya te dije que te encuentro muy atractivo. De todas formas, ahora comprendo lo que quieres decir con eso de que no estuviste llorando por mí estos últimos días, y me alegro de que lo pasases bien.

Heriberto habló con su habitual rostro impasible, pero Charlie creyó detectar nerviosismo detrás de su caparazón protector.

Hubo un silencio.

—Sé más de ti de lo que piensas —dijo Charlie, haciéndose el enigmático.

Heriberto prefirió ignorar ese comentario.

—Bueno. ¿Y *chingaron* ustedes? —preguntó, como respondiendo a un hilo que había estado siguiendo mentalmente.

Charlie se sorprendió por esta pregunta tan directa.

—¿Con quién? —preguntó.

—Con Hans.

—¿No te lo ha dicho él?

—¿Qué quieres decir?

Charlie estaba harto de ese jueguecito de Heriberto haciéndose el indiferente.

—Quiero decir que os he visto llegar juntos a la puerta del restaurante.

—Vaya, conque además me has estado espiando. Pero no, tampoco me dijo nada Hans. De haberlo sabido, le hubiera invitado a entrar.

—¿No le dijiste que habías quedado para cenar conmigo?

—Me temo que no saliste en nuestra conversación, aunque deduzco que yo sí salí en la *vuestra*.

—Txiki te mencionó al presentármelo en la fiesta. A mí nunca se me hubiera pasado por la cabeza que os conocierais.

—Ya. ¿Y hablaron ustedes de mí *antes* o *después* de coger?

Charlie se sorprendió otra vez por lo abrupto de la pregunta. Heriberto estaba perdiendo la máscara de impasibilidad. La mención de Hans había sido un acierto.

—Bien, ya veo que no tenía que haberme preocupado por ti.

Charlie frunció el ceño. «¿Preocuparse por él? —pensó—, ¡seguro que no!»

—No te estaba espiando —puntualizó—. Estaba en el bar de enfrente haciendo tiempo para no ser el primero en llegar, y así fue cómo os vi a los dos.

Charlie tuvo de pronto una sospecha.

—¿Y qué pasó entre tú y Hans? —preguntó.

—¿Qué quieres decir?

—¿Follasteis?

—¿Ahora o en el pasado?

—Cuando sea.

—Hans y yo fuimos amantes hace muchos años, en Nueva York.

—¿Fue antes o después de Álvaro? —dijo llevado por la curiosidad, pero inmediatamente se dio cuenta de que había metido la pata.

Heriberto abrió los ojos asombrado por la aparición de Álvaro en aquella conversación.

—Así que sí estuviste espiándome. Explícame cómo puede ser que sepas tú nada de Álvaro.

Charlie dudó, se dio cuenta de que se había dado un tremendo batacazo y no sabía cómo levantarse.

—Creo que me lo dijo Hans —aventuró.

—No es posible, porque a Hans lo conocí bastante tiempo después, y no creo haberle hablado nunca de él. ¿Puede ser quizás que lo leíste en el diario que yo dejé en mi cuarto? No, tú no harías semejante cosa, ¿verdad? —dijo con sorna.

Charlie se sintió derrotado. Sólo podía admitir la verdad. Sintió que los colores le subían hasta la raíz del pelo.

—Alguien debería haberte enseñado que no se van leyendo los diarios privados de la gente.

Pero a pesar de su irritación, Charlie notó que sentía satisfacción por haber triunfado finalmente. ¡Qué idiota había sido por haberse dejado vencer tan fácilmente! Después de esa admisión, le iba a resultar muy difícil recuperar la dignidad. Estaba furioso por haberse traicionado de esa manera justo cuando le parecía que iba ganando la partida a su primo.

—Lo siento —atinó a decir, esforzándose por controlar las lágrimas de frustración que le vinieron a los ojos.

—Espero que sí que lo sientas. Primero te abalanzas sobre mí como una gata en celo, sin contar para nada conmigo, ¡en casa de mi madre nada menos! Y esperas que yo me deshaga en deseo por tener el privilegio de disfrutar de tu bonito cuerpo y tu carita de ángel. Luego te vas a leer mis diarios privados.

Charlie estaba en silencio, sin saber qué decir en su defensa. Heriberto continuó:

—Típico de vosotros, la gente joven. Ningún principio moral. Sólo vuestro interés, ¿verdad?

Charlie estaba mortificado. Por un lado se rebelaba contra aquel trivial «la gente joven», que le sonaba a moralina hueca y a envidia de viejo endurecido. Pero por otro lado, se reconocía perfectamente en las palabras de Heriberto, aunque eso hubiese sido lo último que le hubiese dado el gusto de admitir.

—Es verdad que tú no me animaste a «abalanzarme» como tú dices, pero tampoco me rechazaste cuando me «abalancé», ¿no? —dijo, repitiendo un argumento que se había preparado bien.

Heriberto prefirió no responderle. La contestación obvia —y verdadera— era que, si no se lo había quitado de encima y le había dejado hacer, no había sido por atracción, sino por pena. Tal vez hubiese sido un error, ahora lo veía bien claro Heriberto, pero eso era algo que no podía decirle sin destruir la poca autoestima que aún le quedara a Charlie.

—Quizás, dadas las circunstancias, esté bien que me pidas ahora tu cucharadita de miel. Pero déjame que te diga lo que pienso, ya que tanto te importa mi opinión. No, no me interrumpas —pidió, viendo que Charlie intentaba decir algo—. Te prometo que te seré totalmente sincero. Eres un chico muy listo, atractivo también, aunque no despiertes en mí la pasión que tú quisieras. Tienes buen corazón y entusiasmo, que son virtudes loables en un chico de tu edad, y, sí, perdona el paternalismo, pero de esos aires de mosquita muerta que te das... bien, habría mucho que discutir. Eres considerado y respetuoso con los demás, pero me parece que por debajo de tu timidez escondes una auténtica arrogancia. Eres muy consciente de tu atractivo. Demasiado pagado de ti mismo para ser esa «buena persona» que pretendes ser. Ahora escúchame, porque quiero que comprendas por qué «salí huyendo» de ti, algo que no es estrictamente cierto, ya que si me vine a Barcelona no fue huyendo, sino porque tenía mis propios asuntos.

»A pesar de tu afabilidad y tus ganas de gustar, tienes el engreimiento de la juventud. Un poco más de humildad y menos egocentrismo no te vendrían mal. No tenías ningún derecho a ponerme en la posición en la que me has puesto en casa de mi madre. Determinado como estabas a imponerte, poco te importaban mis sentimientos, mi trabajo, nada.

»Y si has leído ese diario que no debieras nunca haber abierto, sabrás que yo soy una persona enferma y comprenderás tal vez que, aunque quisiera, jamás me atrevería a imponerte la carga que yo sería para ti.

Charlie estuvo de nuevo al borde de las lágrimas. A duras penas consiguió controlarlas, porque hubieran sido la derrota total, la admisión de que no tenía ningún argumento racional para responder a aquel análisis que Heriberto, con su maestría con las palabras, le acababa de hacer.

—Dices que te trato con condescendencia —continuó Heriberto— pero, si lo piensas, verás que eres tú el que me ha tratado con condescendencia a mí. Tú, con tu belleza insolente, eres quien está tan pagado de sí mismo que no puedes (o no quieres) comprender que alguien como yo, atractivo hasta cierto punto, sexy «para su edad», pueda no sentir el menor interés por ti.

»¿Te habrías tomado la misma molestia con alguien de tu edad? Es fantástico fascinar a la gente, ¿verdad? ¿A quién no le gusta ser admirado? Yo no me he aprovechado de ti. Al contrario. Pero tú sí que has estado junto a mí como un vampiro, leyendo mi diario, esperando luego que yo te abrace y te ofrezca mi vida; pero no, Charlie, eso no va a suceder, porque a mí la juventud no tiene nada que decirme. No me interesa. Ni erótica ni intelectualmente. Lo siento pero no puedo mentirte. Tus abrazos me dejaron perfectamente frío.

Heriberto había perdido finalmente su impasibilidad y Charlie se sintió a la vez asustado y secretamente agradecido. Asustado porque había incluso levantado la voz hasta el punto de que la pareja de turistas sentada al otro lado del restaurante había dejado de hablar y los dos hombres les miraban con curiosidad y alarma. El camarero también salió de su ensimismamiento y les miraba con sonrisa socarrona.

Charlie se sintió avergonzado como un niño al que han pillado haciendo una travesura. Sin embargo, Heriberto estaba siendo injusto con él: su delito era demasiado leve para ser juzgado con tanta severidad. Le llenaba de indignación que Heriberto intentara escurrir el bulto de su propio comportamiento inaceptable, ocultándolo tras ese tono de superioridad moral, pero Charlie no iba a dejarle escapar de rositas.

—Vale —dijo cuando Heriberto terminó su diatriba—. No debería haber leído tu diario, pero dime qué es lo que se supone que yo debería hacer si me dejas colgado, abandonado en casa de tu madre, sin una sola palabra para saber a qué atenerme, tratado como un idiota, peor... Pues tenía que hacer algo, ¿no? Lo siento mucho. Sí, subí a tu cuarto y me eché en tu cama y abrí el armario, y fue allí donde encontré el diario y, sí, lo leí echado en la cama porque era lo único que tenía de ti. Lo leí porque necesitaba buscar una respuesta, saber qué podías estar pensando. Necesitaba agarrarme a algo para evitar quedar como un imbécil.

—¿Y no crees que soy yo el que quedó como un pendejo después de aquella noche? ¿O está bien todo porque yo soy mayor y por lo tanto no cuento?

—No, no. No es eso, pero tienes que admitir que te portaste muy mal conmigo.

—¿Ah sí? Ya. Aquí estás otra vez buscando tu cucharadita de miel, ¿no? Quieres que sea tierno contigo, que me ponga paternal pero sin ser condescendiente. Quieres que te perdone, que te bese, que te abrace, que te pida perdón. Me olvidé de lo arrogantes que podéis ser los jóvenes. A nosotros los mayores no nos queda más remedio que arrodillarnos frente a vuestro altar y adoraros, someternos a la suprema verdad de vuestra belleza y estaros agradecidos por haber sido invitados a picar las migajas de la mesa de los dioses. Bien, deja que te diga algo, Charlie. Eres dulce, bello y seguramente bueno, pero ni tu dulzura, ni tu belleza, ni tu bondad tienen nada que decirme a mí.

—Ahora creo que estás siendo cruel gratuitamente —dijo Charlie, incapaz de controlar las lágrimas por más tiempo.

Sucumbió a ahogados sollozos para no atraer la atención de la pareja de extranjeros ni del camarero.

—Lo siento. Profundamente lo siento —se disculpó Heriberto, alarmado por las lágrimas de Charlie. Le cogió la mano.

—Perdóname. Perdí los estribos. Pero es verdad lo que te dije. Para mí no hay nada sexy en la juventud. Debo de ser el único maricón en el mundo que piensa así. El mundo está lleno de casos que son exactamente lo contrario. Tienes suerte.

—¿Y Álvaro?

—¿Qué pasa con Álvaro?

—¿No era Álvaro un chico cuando os conocisteis?

—No, noooo, no... Cuando conocí a Álvaro yo tenía ya casi treinta años y él era quince años mayor que yo. No, Charlie, créeme, la juventud nunca me ha interesado. ¡Jamás! Lo siento. Pero tú eres un chico muy atractivo, no te quepa duda, pero yo no puedo luchar contra mis instintos más de lo que tú puedes luchar contra los tuyos. Antes me hablaste de Mimí, de cómo ella te seguía echando los tejos después de que le dijeras que a ti las mujeres sexualmente no te atraían. Te sorprendía a ti su insistencia. Yo no quiero que tú cometas el mismo error conmigo.

—Comprendo.

Heriberto se había calmado. También Charlie dejó de sollozar. Heriberto le llenó otra copa de vino y le ofreció su pañuelo como se hace en las películas. Tras su discurso furioso, recuperó la compostura. Las lágrimas de Charlie habían tenido un benéfico efecto catártico.

—Lo siento, Charlie —repitió, genuinamente arrepentido—. Sí, he sido muy cruel contigo. No hagas caso a lo que te dije. Me dejé llevar por la ira porque me irritó saber que habías estado espiándome. Supongo que es natural, como tú dices, dadas las circunstancias, pero, claro, hay cosas que preferiría que no hubieras sabido de esta manera.

Charlie hizo un gran esfuerzo por dominarse. Estaba furioso por reaccionar como un idiota, sucumbiendo a las lágrimas como argumento. Era algo manipulador y poco masculino, justo lo contrario de lo que él deseaba ser.

—Vamos a pedir postre —dijo Heriberto—. Ve al baño y lávate la cara.

Charlie asintió. Se levantó y fue al baño, donde se lavó y se contempló en el espejo. Eso era todo. El fin del «tema». Estaba claro. Se sintió liberado. Mientras orinaba cerró los ojos y respiró aliviado. Marsella. París, pensó. Una nueva vida. Olvidar a Heriberto. Su primera herida de amor. Las primeras lágrimas. Por algo se empieza. Había que aprender de alguna manera.

Se preguntó qué actitud tener al salir del baño. «Ji-jí, ja-já», dijo frente al espejo. Pelillos a la mar. Vamos a olvidarlo todo.

Se le habían quitado las ganas de salir de pendoneo y tampoco quería ir a casa de Albert. Lo mejor sería despedirse de Heriberto y tomar el último tren a la costa.

Volvió a la mesa, donde se encontró a Heriberto comiendo una *cassata*.

—Pedí una cuchara extra para compartirlo.

Charlie se sentó.

—¿Mejor?

Charlie asintió.

Heriberto le ofreció la cuchara.

—Aquí tienes mi cucharadita de miel.

Charlie sonrió forzadamente. Tomó la cuchara y probó el dulce helado. «Esto es todo lo que Heriberto va a ofrecerme», pensó.

Pero se equivocaba.

—¿Quieres ir a tomar una copa?

Charlie negó con la cabeza.

—No, me vuelvo a la costa en el último tren.

—Estás loco. Quédate conmigo y mañana te vuelves.

—No. Hay un tren a las once, voy a cogerlo.

—¿Y qué harás al llegar allí? La buseta no funcionará ya.

—Llamaré a un taxi. No te preocupes.

—Puedes quedarte en mi piso.

—¿Y dormir en el sofá? No, gracias.

—Puedes dormir en mi cama.

—Eres muy amable, pero no. Otro polvo por compasión, no. Ya tuve uno.

—Creo que por una noche ya hemos sido bastante groseros el uno con el otro. No debería haberte dejado colgado de esa manera. Lo admito, pero créeme cuando digo que no fue intencionado. Tenía cosas que hacer, las cosas se complicaron. Me alegro de haberte visto hoy y haber aclarado las cosas. Yo no podía dejar mi trabajo... pero tú también debes admitir tu culpa. No fui yo quien... pero dejémoslo ya. Vamos a tomar una copa y luego dormiremos abrazados en mi cama.

Charlie aceptó. Pensó que no tenía sentido luchar contra Heriberto. Mejor dejarse llevar. ¿Qué más daba ya? Miró a

Heriberto y lo encontró tan atractivo como siempre, pero se sintió de pronto muy remoto a él.

Salieron del restaurante seguidos por las miradas curiosas de los dos turistas. Tras la tempestad, llegó la calma. Bajaron la calle en silencio buscando un bar donde tomar una copa relajada antes de subir al apartamento de Heriberto. Charlie conectó el móvil y vio que había dos mensajes. Uno de Albert y otro de Mimí. Lo volvió a desconectar.

Capítulo 21

En marcha

Al otro lado de la ventanilla, Heriberto intentaba decirle algo que Charlie no comprendía. Le miró gesticular impotente y al final terminaron riendo. Cuando el tren arrancó, Heriberto puso cara de exagerada tristeza. La imposibilidad de comunicarse les había convertido en actores de una película muda. Heriberto caminó acompañando al tren hasta que cogió velocidad y le dejó definitivamente atrás.

Hubiera querido bajar la ventanilla y sacar la cabeza para ver a Heriberto hacerse pequeño en el andén mientras le despedía con la mano, pero las ventanas estaban selladas.

Los trenes modernos no tenían el encanto de los de antes. El confort había destruido la poesía del viaje.

Se reclinó en el asiento y aceptó que esa era la última vez en mucho tiempo que iba a ver a Heriberto. Entraron en una sucesión de túneles puntuados ocasionalmente por vistas fugaces de bosques de pinos maltratados por el viento de tramontana. De vez en cuando, aparecía un fragmento de mar azul picado por el oleaje.

El viento se había levantado de repente la noche anterior, cuando cenaban juntos por última vez en la terraza de la tía Irene. Lo habían escuchado ulular y remover violentamente la pineda.

No había sido una cena triste a pesar de todo. Heriberto y la tía se esforzaron por tratar su marcha con naturalidad, como si fuese un breve paréntesis del que pronto regresaría para incorporarse de nuevo a la rutina veraniega de cenas y playa. Charlie les escuchó hablar sintiendo emociones contradictorias. Le apenaba dejar aquella rutina que sabía irrepetible, pero también se sentía ilusionado por el inicio de aquel viaje tan esperado.

En la cama, los nervios no le habían dejado dormir. Estuvo toda la noche escuchando el viento y repasando mentalmente todo lo que había sucedido aquellos días.

Después de su conversación en el restaurante, Heriberto y él habían dormido juntos en el piso de Barcelona, pero, aunque compartieron cama, ninguno de los dos había intentado ir más allá. Charlie todavía estaba dolido por las palabras de Heriberto y este, aunque había recuperado la compostura y volvió a mostrarse simpático, no quiso animar una intimidad que evidentemente no deseaba. Al día siguiente Charlie regresó solo a la costa dejando a Heriberto en Barcelona.

El tren había cogido ya velocidad y le costaba leer el nombre de las estaciones por las que pasaba sin detenerse. Colliure, Port-Vendres y Banyuls. Charlie pensó en Heriberto, que estaría conduciendo de vuelta por la carretera de curvas, aliviado sin duda por haberse librado de él. Sacó la *Lonely Planet* y empezó a leer de nuevo las páginas sobre Marsella. Pero no podía concentrarse. La mente estaba demasiado ocupada y saltaba de una palabra a la siguiente sin conseguir enlazarlas.

Tenía un largo viaje por delante. Al volver ya no sería el mismo. Tampoco lo sería Heriberto. Habían pasado muchas cosas. Mucho y nada, pensó.

Heriberto se había ofrecido a llevarle a la estación, así que se despidieron de la tía Irene en la puerta de la casa. Charlie le prometió escribir regularmente y llamarla de vez en cuando para decirle dónde estaba.

El trayecto por la carretera de las curvas lo habían hecho en silencio, escuchando una música triste en la radio.

—¿Qué es? —preguntó Charlie—. Me suena.

—Mahler. ¿Has visto *Muerte en Venecia*, la película de Visconti?

Charlie asintió.

—Es la música de la película.

—Claro.

Charlie miró por la ventana el precipicio que había al otro lado, pensando en el simbolismo que aquella película tenía para ellos dos.

No volvieron a hablarse hasta llegar a la estación de Portbou. De vez en cuando, al doblar una curva, una ráfaga de viento parecía que fuera a empujarles al mar y Charlie cerraba los ojos, sonriendo al pensar en lo irónico que sería si, después de todo, murieran juntos como dos amantes trágicos. Intentó recordar una canción de los Smiths en la que el siempre mórbido Morrissey describía el gozo de morir junto a un amante.

La estación era muy impresionante. Con su gran arco de hierro forjado y su cúpula acristalada, tenía la grandiosidad de las grandes terminales capitalinas. Heriberto le dio una de sus lecciones de historia, contándole que había sido construida en los tiempos en los que Portbou había sido la obligada antesala de París. Ahora ya no era nada. Pronto habría una línea de alta velocidad que terminaría por hacer obsoleta aquella magnífica estructura.

Entraron en el Gran Café. Charlie imaginó a los jóvenes artistas y las elegantes damas que habrían anhelado allí las luces de París.

Ahora todo estaba en calma. Un camarero marroquí hablaba en francés entrecortado con un grupo de ferroviarios también de aspecto norteafricano. Había algunos turistas mochileros, pero no había ni artistas lánguidos ni damas elegantes, porque ahora todo el mundo iba a París en avión o en el talgo, que ajustaba sus ruedas al cambio de vía sin obligar a hacer transbordo en la vieja estación.

Como tenía tiempo aún, dejaron la maleta en consigna y fueron caminando al pueblo. El ímpetu del viento había hecho que su silencio no resultara extraño. Entraron en la iglesia y allí, protegidos del vendaval, Heriberto le habló del suicidio de Walter Benjamin y de la muerte de Antonio Machado, que estaba enterrado en Colliure, al otro lado de la frontera. Charlie no tenía ganas de escuchar historias tristes. Le hubiera gustado que Heriberto le abrazara apasionadamente, pero sabía que eso era imposible.

Después fueron a tomar café a un bar del pueblo y, mientras removía el azúcar en su cortado, escuchó a Heriberto hablar del exilio republicano en 1939. A Charlie le parecía mentira que un día ese apacible pueblo hubiese sido escenario de tantas tragedias. Volvieron a la estación y ya sólo les quedó despedirse. Heriberto le invitó a ir a Nueva York, y Charlie dijo que tal vez lo intentaría en Semana Santa si conseguía reunir dinero de alguna manera.

Mientras el tren avanzaba, Charlie fue recordando fragmentos de conversaciones de aquellos últimos días. Mimí había intentado sonsacarle la verdad, haciendo conjeturas que él ni negó ni confirmó. Al final se habían despedido prometiéndose que se verían en Barcelona ese invierno. Seguramente Mimí iba a convertirse en parte de ese nuevo mundo que se abriría ante él en otoño.

Cerró los ojos e intentó imaginar cómo sería Nueva York con Heriberto. Tal vez, con un poco de arrojo y valentía conseguiría alcanzar su propósito... Tal vez... pero pronto desechó esos pensamientos y se concentró en imaginar la llegada a Marsella. Lo primero sería encontrar una pensión barata y respetable. Por la noche, visitaría los bares de ambiente que tenía marcados en la *Spartacus*.

Y así se quedó dormido mientras el tren avanzaba bajo el sol de la tarde.